REI ÉDIPO

Sófocles

TEXTO INTEGRAL

3ª Edição
(Primeira edição: Editora Peixoto Neto, 2004)

Introdução, tradução e notas de
Ordep Serra

A ortografia deste livro foi atualizada segundo o
Acordo Ortográfico da Língua Portuguesa (1990),
que passou a vigorar em 2009.

COLEÇÃO A OBRA-PRIMA DE CADA AUTOR

REI ÉDIPO

Sófocles

TEXTO INTEGRAL

MARTIN CLARET

© *Copyright* da tradução, introdução e notas de Ordep Serra, 2004.
Primeira edição: Editora Peixoto Neto, 2004.

DIREÇÃO
Martin Claret

COORDENAÇÃO EDITORIAL
Taís Gasparetti

PRODUÇÃO EDITORIAL
Carolina Marani Lima / Alexander B. A. Siqueira / Jaqueline M. dos Santos /
Giovana G. Leonardo Fernandes / Gabriele Caldas Fernandes

DIREÇÃO DE ARTE
José Duarte T. de Castro

CAPA
Ilustração: *Édipo e a esfinge* (1808), Jean Auguste Dominique Ingres

MIOLO
Introdução, tradução e notas: Ordep Serra
Revisão: Rosana Citino / Waldir Moraes
Impressão e acabamento: Paulus Gráfica

Dados Internacionais de Catalogação na Publicação (CIP)
(Câmara Brasileira do Livro, SP, Brasil)

Sófocles, 496-406.
 Rei Édipo / Sófocles; introdução, tradução e notas de
Ordep Serra. — 3.ed. — São Paulo: Martin Claret, 2012. —
(Coleção a obra-prima de cada autor; 99)

 Título original: Oidípous Týrannos.
 ISBN 978-85-7232-687-2

 1. Teatro grego I. Título. II. Série.

10-02367   CDD-882.01

Índices para catálogo sistemático:

1. Teatro: Literatura grega antiga 882.01

EDITORA MARTIN CLARET LTDA.
Rua Alegrete, 62 – Bairro Sumaré – CEP: 01254-010 – São Paulo – SP
Tel.: (11) 3672-8144 – Fax: (11) 3673-7146
www.martinclaret.com.br / editorial@martinclaret.com.br
2ª reimpressão - 2019

Sumário

Introdução 7

REI ÉDIPO

Prólogo 43
Primeiro episódio 53
Segundo episódio 67
Terceiro episódio 85
Quarto episódio 97
Êxodo 105

Glossário
    I - Antropônimos e teônimos 117
    II - Topônimos e monumentos 125
    III - Termos técnicos da tragédia e outros 127
Bibliografia 131
Sobre o tradutor 139

❖

Introdução
ORDEP SERRA

A tragédia sofocliana *Rei Édipo* é frequentemente abordada como porta-voz de um mito fundamental, nela cifrado: como hospedeira de um sentido que a precederia, envolto *a posteriori* em sua trama, por capricho de arte. Para quem a vê assim, ela se constitui numa forma cerrada: tem de ser aberta por um conhecimento que a ultrapasse, que remova as capas do tecido brilhante, em busca dos sinais de um jorro anterior, do mundo primitivo donde lhe viria o significado. Segundo se imagina, rasgada sua pele, vencido seu limite, toca-se o segredo da fábula trágica... e daí pode-se volver ao texto em segurança — para triunfar da esfinge remota, já dominada previamente. É uma certeza que muitos compartem... Mas assemelha-se por demais à ilusão de Édipo.

Na verdade, talvez esta tragédia tenha sido a obra que mais sofreu o abuso criticado por Susan Sontag em seu belo ensaio *Contra a interpretação* (SONTAG, 1987). Mas verificá-lo não implica renunciar ao entendimento da peça — nem, muito menos, à iluminação que ela produz. Muito ao contrário... Recomenda-se, porém, uma cautela hermenêutica. Pois o modo como hoje, ao ver de muitos intérpretes, a mais famosa tragédia de Sófocles "contém" o mito de Édipo não era sequer imaginável para o seu primeiro público. Este tinha um contato direto com a multiplicidade da tradição, que as cenas trágicas não faziam dissipar-se, antes ampliavam e enriqueciam com variantes novas. Então não se via esta tragédia a encerrar — de maneira "definitiva" — um remoto conteúdo, velado em sua cintilante aparência. Para os antigos, o texto de Sófocles não era o representante e captor insidioso do mito que narra, ao mesmo tempo, sua manifestação e sua ocultação perfeita. Era um dos modos como ele se realizava — e como se *interpretava*, num sentido mais rico do termo (aquele cogitado quando dizemos que um artista criativo interpreta uma música). Era uma sua reinvenção, necessariamente transformadora. (De resto, na Antiguidade o mito de Édipo não tinha passado pela nova mitificação que depois o recobriu, e que fez dele "o mito" por excelência.)

Aos olhos da maioria dos leitores/espectadores modernos, o esquema das tragédias sofoclianas *Rei Édipo* e *Édipo em Colono* (prolongado pelos traços "retrospectivos" da *Antígone*, do mesmo mestre) define o cânon do mito de Édipo... embora, como se supõe, a obra trágica o faça em termos transpostos, dando-lhe uma nova feição, distinta da "original" (e apenas se pode conjeturar o que seria seu imaginado arquétipo, antes dessa "transposição artística", por suposto deformadora de sua natureza primeira). Pensa-se, portanto, em *uma* forma concreta do mito — que corresponderia, mais ou menos, ao entrecho dos referidos dramas sofoclianos — e em *uma* forma anterior (por suposto, mais autêntica), já diretamente inacessível: aquela que Sófocles teria transmutado. Essa visão é por vezes perturbada: sombras discrepantes emergem dos limiares de outros dramas e fragmentos (esquilianos, euripidianos), de uma passagem homérica, de textos diversos... porém as diferenças que elas projetam acabam esquecidas, diluem-se na aparente clareza do esquema consagrado, superficialmente abstraído das criações clássicas mais conhecidas nas quais se trata de Édipo, e configurado em arranjos que remontam ainda às sinopses de mitógrafos antigos. Ora, foram circunstâncias históricas, vicissitudes da transmissão dos textos, que fizeram cristalizar-se assim aos olhos modernos a legenda de Édipo. Hoje, com certeza, se pensaria nela de modo muito diferente se tivessem chegado até nós, completas, a trilogia "tebana" de Ésquilo, a que se encerrava com *As fenícias*, de Eurípides, ou o *Édipo* deste poeta; ou senão a *Édipodia* épica, da qual só restou um mínimo fragmento; ou poemas em que Estesícoro, Corina *et alii* trataram dessa matéria; ou certos dramas perdidos de Fílocles, Carcino, Meleto, Xênocles *et caeteri*. As coisas já seriam outras se fossem mais conhecidas do público leigo diferentes versões da famosa história tebana ainda encontráveis em testemunhos que provocam acesos debates entre os helenistas[1].

Creio que a questão pode ser mais bem colocada por meio da lembrança de um procedimento aristotélico. Na *Poética*, Aristóteles usou

---

[1] Ver a respeito, SERRA 2007.

a palavra *mito* para designar duas coisas bem diferentes: o argumento dos dramas (das composições literárias), conforme estruturado por seus autores; e a matéria de que estes se servem, ou seja, os relatos da legenda heroica utilizados pelos dramaturgos[2]. O jeito como se relacionam e interagem os dois tipos de "mito", isto é, o jeito como, nas obras conhecidas do teatro clássico grego, o "mito-argumento" se liga (e se separa de, e reage) ao "mito tradicional", ou seja, a um fluido conjunto de variantes para além da elaborada pelo poeta, é assunto de profundas análises, de árduas pesquisas e discussões dos helenistas. Hoje, um ponto de consenso é o reconhecimento da criatividade que os grandes trágicos exerceram ao apoderar-se da legenda heroica: eles nunca se limitaram a reproduzir, dando-lhe uma nova forma estética, os relatos que a tradição épica lhes punha ao alcance. Eles intervieram profundamente no seu material, de maneira refletida e inovadora. A rigor, a tragédia opera uma revolução dos mitos. Entenda-se aqui "revolução" num duplo sentido; de *volta* — com viragem, como sugere o étimo — e de *transformação*. O procedimento aristotélico acima lembrado, se pode confundir quem lê superficialmente a *Poética*, tem a vantagem de enfatizar a mitopoese trágica, de mostrar que a ação dos mitos, seu *fieri*, seu desvelar-se, prossegue na *invenção* dos poetas trágicos. Um dos exemplos mais vigorosos de produção inovadora do mito a partir da tradição é justamente o da tragédia sofocliana *Rei Édipo*. No contexto da revolução trágica que deu à legenda do triste herói de Tebas e à saga dos labdácidas uma outra vida no teatro grego da época clássica é possível reconhecer um duplo movimento de mudança criativa[3].

Ésquilo, o primeiro a encenar, em 467 a.C., a história de Édipo, fixou um esquema em parte seguido, ou retomado, por Eurípides. Já essa estrutura representava, sem dúvida, um novo cânon... Mas Sófocles, em *Rei Édipo*, rompeu com esse esquema de forma vigorosa, surpreendente, muito original.

Voltarei depois a esse ponto. Primeiro, importa chamar a atenção para o complexo criativo das relações que se travaram entre os

---

[2] Veja-se, a propósito, o comentário de Eudoro de Sousa em sua Introdução à *Poética* (SOUSA, 1966:57 sq.) Cf. também o notável artigo de BOMPAIRE, 1976.

[3] No contexto de uma tetralogia de que apenas nos restou *Os Sete contra Tebas*: incluía um *Laio* e um *Édipo*, além do drama satírico *A Esfinge*.

projetos, as obras, as descobertas dos três grandes trágicos. O rico intercâmbio, a cadeia das influências recíprocas, o diálogo intelectual intenso que se desenvolveu entre eles, através de suas criações, chamam cada vez mais a atenção dos estudiosos. Rejeita-se hoje o esquema simplificador que, por muito tempo, fez situar esses poetas — segundo uma perspectiva crítica ultrapassada — em "momentos" demarcados de forma muito cortante no processo de evolução da dramaturgia clássica. A constatação das vigorosas diferenças entre esses três gênios, a percepção de sua forte originalidade, já não impede de reconhecer a interação, a profunda comunicação que entretiveram criativamente... até mesmo se opondo uns aos outros, por conta das inclinações distintas de sua arte e de seu pensamento[4]. É preciso, pois, valorizar tanto a poderosa comunhão quanto a força original que ricamente distingue os espíritos mais profundos da época trágica: tanto uma coisa como outra são elementos de seu mistério, do prodígio histórico que essa época significou para o pensamento humano.

* * *

Numa biografia anônima de Sófocles, a única que nos restou dentre as muitas escritas na Antiguidade, há um relato curioso, que tem todo o jeito de conter um arranjo. Diz-se aí que Eurípides nasceu no dia da celebração da vitória ateniense de Salamina (480 a.C.), batalha naval em que Ésquilo combateu. Nessa festa, de acordo com a mesma fonte, o jovem Sófocles (então com dezessete anos) estava à frente do coro dos moços, tocando a lira e entoando a peã triunfal. O sincronismo terá sido fabricado... mas a anedota tem a vantagem de chamar a atenção, de uma bela maneira, para o entrecruzar-se das vidas dos três grandes trágicos num cenário denso de sentido histórico. *A Vita Sophoclis*[5] também conta que nosso poeta estudou música com o famoso Lampros e aprendeu a tragédia (a dramaturgia trágica) com Ésquilo. Karl Reinhardt (1971:29-30) lembra que Só-

---

[4] Vale citar a propósito um bonito livro onde AÉLION (1983) empreendeu com êxito a reavaliação das ligações profundas entre o teatro de Ésquilo e o de Eurípides, poetas que a crítica por longo tempo fizera distanciar exageradamente um do outro.

[5] Essa biografia nos foi preservada em alguns dos manuscritos em que nos chegou pequena parte da obra do poeta.

focles começou pelo drama religioso ao estilo de Ésquilo, e assinala a sonoridade esquiliana do fragmento restante do *Triptólemo*. Mas o poeta de Colono tomaria rapidamente um rumo inconfundível; e iria também influenciar o antigo mestre, assim como Eurípides.

A citada biografia e outras fontes dão notícia de observações de Sófocles sobre a arte de seus rivais. Destacarei um comentário que ele teria feito a respeito de Ésquilo, criticando a forma arrebatada de sua composição: o mestre, no melhor de sua arte, "acertaria sem saber"... Isso mostra com clareza o valor atribuído por Sófocles à elaboração consciente, à técnica refletida e sutil de que sua obra dá testemunho.

Ao que tudo indica, Sófocles foi também um teórico do drama. Suidas disse numa glosa (sem indicar a fonte) que ele escreveu um tratado acerca da tragédia. A obra chamava-se *Sobre o coro* e, infelizmente, não ultrapassou a Antiguidade[6].

A Sófocles não faltou tampouco a experiência do palco, se merecem crédito as notícias de que ele atuou nas suas próprias peças *Nausícaa* e *Tamíris*. Aristóteles atribui-lhe a criação do tritagonista (do terceiro ator) e a invenção dos cenários pintados. Por outro lado, a *Vita Sophoclis* diz que ele criou, com seus amigos, uma *Sociedade dos Cultivados*, que se reunia para dedicar oferendas às Musas, ler e debater poesia etc.: um grupo dedicado ao exercício ativo da crítica.

Sim, há registros interessantes... Mas na verdade é muito pouco o que se pode hoje afirmar com alguma certeza sobre a vida de Sófocles. As notícias biográficas a respeito dos grandes trágicos gregos são vagas, fantasiosas, precárias, muito pouco confiáveis. Como observam H. Lloyd-Jones e N. G. Wilson (1990:XIV) no prefácio de sua excelente edição das *Sophoclis Fabulae*, hoje se reconhece que as antigas *Vidas* dos poetas contêm grande parcela de ficção e conjetura... Ainda assim, convém relacionar alguns dados. Sófocles nasceu em 497-6, no burgo ateniense de Colono, de família nobre[7]. Seu pai, Sófilo, era dono de uma fábrica de armas. Membro nato da *élite*, o poeta relacionou-se muito bem com os aristocratas do grupo de Címon, a que talvez se tenha ligado, fazendo amizade com esse grande líder, com o lírico Arquelau (a quem dedicou uma elegia) e, entre outros mais, com o pintor Polignoto, que o teria retratado na

---

[6] "Coro" era o nome oficial da tragédia no tempo de Sófocles.
[7] Cf. Plin. *Nat. Hist.* XXXVII, 40.

Pécile (a *Stoá Poikíle*, O pórtico pintado) a tocar a lira — tal como o jovem dramaturgo aparecera em cena, em sua peça *Tamíris*. Ligado ao partido aristocrático, nem por isso deixou Sófocles de ser amigo de Péricles e de travar boas relações com elementos de seu *entourage*. Sabe-se ainda que o belo trágico privou da amizade de Heródoto, a quem dedicou uma ode; segundo consta, o mestre da *História* o frequentou muito durante sua estada em Atenas. Uma sólida amizade ligou ainda Sófocles ao poeta Íon de Quios. Em suma, ele parece ter tido um estreito contato com a *intelligentsia* que, em seu tempo, agitava Atenas e toda a Hélade: ecoam em suas obras reflexos de uma interessada e atenta conversação com filósofos, retóricos, médicos, sofistas.

Há testemunhos convincentes de sua amizade com os grandes rivais. Na comédia *As rãs*, Aristófanes mostra Ésquilo a falar dele com afeto e descreve em muitos bons termos suas relações[8]; na *Vida de Eurípides*, o autor anônimo narra como, ao ter notícia da morte deste, Sófocles, que se preparava para a encenação de um drama, vestiu-se de luto, fez os atores se despojarem das coroas, pôs-se à frente do coro e deu, chorando, a notícia ao público.

O poeta de *Rei Édipo* teve uma carreira de cidadão ilustre. Exerceu altos postos na sua Cidade. Em 443, integrou o colegiado que tinha a seu cargo o tesouro imperial de Atenas. Em 441, ao lado de Péricles, participou como general da expedição de Samos. Parece que anos depois chegou de novo ao generalato, com Nícias[9]. Anedotas atribuíam a Péricles um comentário benevolamente irônico sobre o companheiro estratego, que ele teria qualificado de "bem melhor como poeta"... A crer em um relato de Ateneu, o próprio Sófocles se teria declarado um estrategista mais competente no amor do que na guerra[10].

Na sua obra *Constituição de Atenas* (29-33), Aristóteles diz que Sófocles, aos oitenta e três anos, foi ainda um dos próbulos, isto é, um dos notáveis escolhidos para um governo "de salvação nacional", depois do desastre da Sicília, isto é, da malograda expedição que terminou com a morte de Nícias e a destruição da armada ateniense sob o seu comando. (Como se sabe, este governo dos próbulos deu lugar ao regime oligárquico.) Ainda segundo Aristóteles, o poeta

---

[8] Cf. Aristoph. *Ranae*, 786 sq., 1515 sq.
[9] Cf. Plut. *Vita Pericl.*, VIII, 3; *Vita Nic.*, XV, 2.
[10] Cf. Athen. XIII 603e-604d.

consentiu (mas a contragosto) no golpe branco que, em seguida, elevou ao poder os Quatrocentos.

Seu amigo Íon de Quios[11] teria dito que Sófocles foi medíocre na política, com um desempenho comparável ao de qualquer cidadão ateniense de sua classe. Mas é de ver que seu povo depositou nele muita confiança... Também há notícia de que sua primeira eleição deveu-se à popularidade alcançada pelo poeta por meio do sucesso de suas obras teatrais.

Sófocles casou-se com a ateniense Nicóstrata, de quem teve um filho, Iofonte, que seguiu a trilha do pai: foi dramaturgo. Porém, das obras de Iofonte não sobrou nenhuma. Com uma amante natural de Sicione, uma hetera chamada Teorís, Sófocles teve ainda um outro filho, chamado Ariston, que lhe deu o neto mais querido: Sófocles, o Moço. Esse neto bem-amado foi responsável pela encenação de *Édipo em Colono*, em 401[12].

Foram muito lembrados os papéis religiosos que Sófocles exerceu: terá sido sacerdote do herói médico Alcon (cognominado *Amynos*, o protetor) e, mais tarde, também de Asclépio, cuja imagem ele hospedou em sua casa, quando os atenienses a fizeram vir de Epidauro, em 421. O poeta erigiu-lhes um pequeno santuário, onde ele próprio veio a ser cultuado como herói, depois de sua morte, sob o nome de *Dexíon* ("O Hospitaleiro")[13].

Todas as fontes acentuam dois traços de Sófocles: dizem que ele foi um homem muito bonito e também afável. Em sua pátria, em seu tempo, a beleza era apreciada como sinal de excelência: era uma virtude. Não há dúvida de que isso contribuiu para atrair-lhe a simpatia dos contemporâneos. Mas não os impressionou menos o temperamento cordial e agradável do poeta. Aristófanes chegou

---

[11] Cf. Athen., loc. cit. supra (nota 8).

[12] Parece inventada a anedota, registrada na *Vita Sophoclis,* de que Iofonte, enciumado com a preferência do pai pelo neto ilegítimo, levou Sófocles ao tribunal, querendo declará-lo incapaz (por caduquice) de gerir seu patrimônio. Sófocles se teria defendido lendo trechos de *Édipo em Colono*, a fim de provar sua lucidez... Desse modo, reza a anedota, o poeta venceu a questão... e ainda foi aclamado. Mas é bom lembrar que Aristófanes deu testemunho da colaboração estreita do velho poeta com o filho dramaturgo, Iofonte: em *As rãs*, Dioniso declara que não evocou Sófocles (não o trouxe do Hades) porque queria ver o que Iofonte faria sem ele... Cf. *Ranae*, 78-82.

[13] Cf. *Etymologicum Magnum*, s. v. *Dexíon*.

a imaginá-lo tão gentilmente à vontade (*eúkolos*) na morte quanto na vida[14]. Um fragmento de uma peça de Frínico, *As musas*, que evoca de maneira paródica os últimos versos de *Rei Édipo*, celebra Sófocles, falecido pouco antes da estreia daquela comédia, como um homem feliz, lembrando sua longevidade, suas belas tragédias e seu ser afortunado (*dexiós*). Frínico aí declara que o poeta morreu belamente, sem ter padecido nenhuma desgraça: *kalós d' eteleútes' oudèn hypomeínas kakón*[15]. Mas Opstelten (1942:52 sq.) tem razão quando adverte contra o estereótipo assim cunhado já na Antiguidade, o clichê que recobriu a figura do trágico com a imagem superficial do "homem feliz", de predileto da fortuna: lembra que *dexiós* — o epíteto dado ao poeta da *Antígone* tanto por Frínico quanto por Ateneu (XIII, 603-4) — também pode ter um significado mais rico... Em português, "sereno" o traduziria melhor. "Feliz", no sentido burguês que Fernando Pessoa deu a essa palavra na *Mensagem*, Sófocles evidentemente não foi. Conheceu grandes êxitos, teve muito sucesso na carreira de dramaturgo, era amado e respeitado, viveu num tempo de esplendor de sua Cidade... mas também testemunhou seu declínio. De sua vida privada, de suas vicissitudes e gostos, não há nada que saibamos com certeza. A crer-se numa anedota referida na *República* (329b), o belo poeta, quando envelheceu, experimentou um alívio: como ele mesmo teria dito, sentiu-se como um escravo fugido de um amo cruel. Referia-se a Eros.

Na obra de Sófocles, há uma compreensão muito profunda do sofrimento. Sua poesia também sugere uma rara solidão interior — alimentada, quiçá, por sua luz. O citado helenista holandês, Opstelten, bem o viu: reflete-se aí um poder de harmonia que não faz pensar numa tranquilidade idílica, antes sugere o vigor de uma alma capaz de reconstituir seu equilíbrio temperando-se, dinamicamente, com o próprio ímpeto da paixão. Conforme diz ainda Opstelten (op. cit., p. 84), percebe-se em Sófocles um pendor para a melancolia, mas com um toque positivo: esta parece brotar do *élan* amoroso que tornava profunda sua compaixão e também tinha a ver com sua sede de conhecimento, seu desejo de compreender. Assim é. Mostra-o a forma como os heróis sofoclianos reagem às crises, aos conflitos em que penetram: ativamente, com uma profunda vibração interior, espiri-

---

[14] Cf. Aristoph. *Ranae*, 82.
[15] Cf. Phrin. fr. 31 Kock. Compare-se Soph. *Oed. Rex*, 1530.

tual... Isso faz entrever no poeta um sentido agônico da interioridade, da *Innigkeit* a que se referia Hölderlin[16].

O poeta sereno viveu na época mais rica, agitada e densa da história de Atenas: nasceu cinco anos antes da Batalha de Maratona, festejou, ainda muito moço, a vitória de Salamina, participou de terríveis embates, assistiu a grandes triunfos e testemunhou tremendas derrotas de sua Cidade. Teve sorte de não lhe ver a queda: morreu um ano antes[17]. Segundo contam a velha biografia e outros testemunhos, Lisandro, o general espartano que então sitiava Atenas, por conta de um aviso divino deixou passar o cortejo fúnebre do grande trágico rumo ao sepulcro, situado fora dos muros da urbe: teria sido advertido por um sonho de que não impedisse a prestação das honras extremas à *Nova Sereia*.

A carreira de Sófocles como autor teatral foi marcada por êxitos esplêndidos. Sua primeira premiação ocorreu em 468, quando ele, com vinte e oito anos, apresentando o *Triptólemo*, triunfou de Ésquilo. Ao todo, o poeta de Colono teve o primeiro lugar dezoito vezes nas Dionísias (com tetralogias: portanto, setenta e duas peças de sua autoria foram premiadas, só nesse festival) e logrou a coroa com seis vitórias nas Leneias. (Recorde-se de que Ésquilo, em toda a sua vida, foi coroado apenas treze vezes, e Eurípides não teve mais que cinco vitórias.) Consta também que Sófocles, quando não alcançou a primeira, sempre teve pelo menos a segunda colocação nos concursos de que participou. De acordo com Dicearco, Sófocles tirou o segundo lugar no festival em que estreou *Rei Édipo*. Coube então o primeiro prêmio a um sobrinho de Ésquilo, por uma tragédia da qual não ficou registro.

Foi Sófocles um autor prolífico; mas de suas cento e vinte e três peças, por desgraça, só nos restam sete, além de alguns fragmentos. Das suas tragédias remanescentes, sabemos que *Filocteto* foi repre-

---

[16] Este a entendia de um modo muito próprio, conforme notou Karl Reinhardt: "Hölderlin, porém, não entende a interioridade no sentido corrente em seu tempo. Entende-a ele de um modo mais elevado: como unidade dos contrários, compenetração simultânea dos extremos, a ponto de uma fusão, seja de 'aórgico' e 'orgânico' (os extremos superior e inferior da realidade da natureza), seja de sujeito e objeto, Eu e Não Eu, 'Individual' e 'Ilimitado', ou finalmente — o que pode ser ainda mais estranho — de 'poético' e 'divino'".

[17] Em 406-5. A data de sua morte está registrada no Mármore de Paros e em Diod. XIII, 103, 4.

sentada e premiada no ano de 409, e *Édipo em Colono* teve encenação póstuma em 401. A data da *Antígone* é objeto de conjeturas que geralmente a situam por volta do ano de 440. Estima-se que o drama *Ájax* seja anterior, mas não há testemunho que permita datá-lo com precisão. A mesma incerteza se verifica com relação à *Electra* e é também impossível estabelecer data precisa para *As traquínias* (neste caso, as conjeturas oscilam por uma faixa de tempo que cobre desde 440 a 420).

No que concerne à data do *Rei Édipo*, as discussões não cessam. Num artigo notável, Bernard Knox (1979) buscou determiná-la com algum apuro. Tomou por base um dado geralmente admitido pelos estudiosos como possível testemunho da peça sobre o contexto histórico de sua produção: a descrição da peste no Prólogo (na fala do Sacerdote de Zeus) e no Primeiro Estásimo. Segundo muitos presumem, Sófocles se teria inspirado na terrível epidemia que grassou em Atenas durante a Guerra do Peloponeso. Ora, ela irrompeu em 430, e teve um novo surto no inverno de 427-6, de acordo com as indicações de Tucídides...[18]

Durante muito tempo, acreditou-se que foi Sófocles quem introduziu na história de Édipo a ocorrência de uma peste na cidade governada pelo triste herói: nem Homero, nem Hesíodo, nem Pisandro, nem Androtíon, nem Eurípides etc. mencionam o episódio em suas versões. Mas um fragmento do *Édipo* esquiliano (691 Mette) já encerra essa indicação... Em todo caso, argumenta Knox que a calamidade descrita por Sófocles em *Rei Édipo* não corresponde bem ao modelo da praga tradicional presente em antigas narrativas de maldição, ou flagelo, referível a *tà daimónia*, antes excede esse esquema num ponto significativo: inclui, sim, a esterilidade da terra, das mulheres e dos rebanhos, mas não fica nisso; acrescenta-lhe justamente *os horrores da doença epidêmica*. Por outro lado, embora muitas vezes tenham sido assinaladas as semelhanças entre o quadro do flagelo pintado por Sófocles e as descrições feitas por Tucídides da epidemia sobrevinda na Ática, naqueles anos, Knox emprestou relevo a um dado pouco advertido: em *Rei Édipo*, a peste está associada com a guerra de um modo muito cogente. Isso se dá através da figura do deus Ares. O helenista chama a atenção para a estranheza dessa caracterização mítica, dessa "unprecedented association" (Ares-

---

[18] Cf. Thucyd. 3, 87.

-Peste) encontrável no Primeiro Estásimo de OT[19] e particularmente em sua terceira estrofe. Destaca uma súplica do coro encerrada na dita passagem, que cifraria uma extravagância do ponto de vista da teologia tebana: o coro faz então o voto de que Ares deixe a urbe, volte-lhe as costas e se vá para os extremos do mundo; pede até mesmo que Zeus o fulmine com o raio, para livrar a cidade do "deus que entre os deuses não se honra". Ora, Ares é justamente um grande patrono de Tebas, onde sempre recebeu as máximas honras de deus protetor... A propósito, Knox lembra uma passagem esquiliana[20] onde as mulheres tebanas rogam pressurosas a este nume que *não deixe* a cidade — cuja salvação, como presumem, depende dele[21]. De um ponto de vista tebano, aquela tirada do coro no Primeiro Estásimo de *Rei Édipo* não faria sentido... Mas por certo fazia para o público de Atenas, a um tempo fatigado pela devastação da guerra (que Ares, desde Homero, representa por antonomásia) e dizimada pela doença. Como observa Knox ainda, nos versos 190-2 de OT, o coro refere-se a *Ares, o violento, que hoje / me assalta sem o escudo de bronze*... Com essa metáfora, indica-se evidentemente a peste, infligida pelo deus da guerra — e faz-se supor um ataque anterior do ambíguo *daímon* com "o escudo de bronze", ou seja, numa investida de guerreiros. Pois bem: em 430, os peloponesos assediaram os atenienses, devastaram a Ática com seus exércitos, enquanto a epidemia flagelava a *pólis*. Já no inverno de 427-6, a peste ocorreu de novo... sem o mal paralelo de uma *razzia* dos inimigos de Atenas. Com base nisso, e valendo-se ainda de outras indicações, como a descrição feita por Diodoro desse novo surto epidêmico na urbe ateniense[22], mais a conjeturada paródia de versos do *Oidípous Týrannos* na comédia de Aristófanes intitulada

---

[19] OT é a abreviatura de *Oidípous Týrannos* — Rei Édipo —, convenção adotada pelos helenistas e usada no mundo inteiro para a designação dessa obra.

[20] Cf. Aesch. *Sept*. 104-7; cf. ibidem 135-6.

[21] A ligação de Ares com Tebas é antiga e muito profunda. Whatelet (1992) sugere até que o tratamento negativo dado a Ares na *Ilíada* reflete a rivalidade entre argivos e beócios e o *parti-pris* pró-argivo de Homero, que assim ecoaria o legendário conflito. Para Knox (op. cit. pp. 115-6) Ares vem a ser "... talvez a mais importante divindade de Tebas, associada com essa cidade no mito e no culto".

[22] Cf. Diod. XII, 58.

Os cavaleiros (datada de 424), Knox sugere que o *Rei Édipo* seria do ano de 425 a.C.

Karl Reinhardt (1971:29-32) tentou situar as obras sofoclianas em fases correspondentes a um processo de evolução de sua arte dramática, a partir de considerações de mudanças de estilo, de linguagem, de técnicas de encenação. Dividiu assim em dois grupos os dramas remanescentes de Sófocles: o primeiro grupo configura a "tragédia monológica do destino"; o segundo a "tragédia dialógica e comunicativa". Num caso prevalece, diz ele, uma certa rigidez patética, sem transições. Trata-se, então, de um estilo "monológico"... não porque a obra se encerre no solilóquio, mas porque as falas, a encenação e o movimento dramático levam a manifestar-se um destino (seja pela boca do paciente, seja pela de outro personagem) sem que, todavia, esse *páthos* da figura central venha a "derramar-se" numa outra pessoa, aderindo a esta, entrelaçando-se com ela. Já na "tragédia dialógica" prevalecem as formas cambiantes, um jogo dinâmico que faz os personagens refletirem-se uns aos outros, leva ao compenetrar-se de suas falas e ações. Ainda segundo K. Reinhardt, *Rei Édipo* e *Antígone* assinalam a passagem sofocliana para o campo da "tragédia dialógica".

* * *

Pelo que se infere de uma passagem de *Os Sete contra Tebas*, combinada a notícias e fragmentos pertinentes às outras duas (*Laio* e *Édipo*) dedicadas por Ésquilo à crônica dos labdácidas, a maldição de Pélops, provocada pela violência amorosa de Laio, raptor de seu filho, recaiu sobre a estirpe do tebano, acarretando os infortúnios de sua Casa: conforme tudo indica, na versão esquiliana remontavam a essa praga as desgraças de Édipo e as dos seus descendentes. No Prólogo de *As fenícias*, de Eurípides, Jocasta aponta como origem de suas desditas, dos horrores de sua família, *o pecado de Laio*... que, contra a ordem expressa de Apolo, gerou nela um filho malsinado. Isso sugere que o mesmo encadeamento dos dramas da série labdácida de Ésquilo se dava na trilogia correspondente de Eurípides. Pois bem: um gramático antigo achou necessário agregar à cópia de *Rei Édipo*, de Sófocles, um texto que corresponderia ao oráculo dado a Laio. O carme prediz ao labdácida o destino de morrer às mãos do filho, *por causa da praga de Pélops*, cujo motivo aí se explicita: o rapto do pelópida Crísipo, crime perpetrado por Laio. A iniciativa trai a estranheza do gramático face ao procedimento sofocliano: ele se sentiu intrigado ao ver como Sófocles rompeu, silenciosamente, com a tradição avalizada por Ésquilo (e Eurípides). É como se o erudito quisesse suprir, com o texto profético acrescentado, uma informação (a seu juízo, necessária) que o poeta de *Rei Édipo não* deu. Induz a crer que quando Sófocles, na referida peça, aludiu a um oráculo apolíneo dado a Laio, com a predição de sua morte às mãos do filho (ainda não nascido), pressupôs também a praga e o motivo dela, nos termos da tal versão do agouro. Mas o "gancho" nem sequer é sólido: quando, nos versos 711-4 de OT, Jocasta menciona o oráculo dado a Laio, ela o faz brevemente — de maneira que não autoriza a pensar em maldição pretérita — e com uma expressão empregada para indicar um oráculo *não solicitado*. Já o texto "profético" aposto ao manuscrito, como se correspondesse ao objeto dessa alusão[23], é construído nos moldes de uma *resposta* oracular.

A verdade é que Sófocles rejeitou de forma decidida um elemento da tradição que, aparentemente, embasou o edifício das trilogias de Ésquilo e Eurípides, as quais foram erigidas com o material da saga dos labdácidas. Segundo explica Webster (1935:31), embora Sófocles tenha herdado de Ésquilo a teoria da *hýbris* e a crença de que os deuses castigam os crimes, ele aparentemente não comungava a ideia do antecessor de que o castigo continuava de geração em geração. Também Bowra (1944:163) frisou com clareza essa mudança intencional operada por Sófocles no esquema da história de Édipo, história densamente trabalhada pelos outros grandes trágicos. Sófocles, de forma novíssima, concentrou no herói o *mýthos* de sua tragédia: desvinculou a paixão de Édipo de um "pecado original" alheio e remoto; elevou a necessidade interna de seu acontecer a um horizonte ontológico onde ela se mostra ab-soluta, isto é, solta da rede dos liames morais tecidos, *a priori*, no entrelace de destinos postos em linha de consequência, intercomunicados pelo sangue[24]. No drama sofocliano, Édipo é o foco onde germina a crise trágica e onde ela se concentra. Nem o seu passado

---

[23] A outra alusão ao mesmo oráculo em *Rei Édipo* é ainda mais rápida e enxuta: acontece como um relâmpago na lacônica revelação que corresponde ao clímax da peça: cf. hic vv. 1174-5.

[24] Em *Rei Édipo*, essa conexão não é fundante: surge apenas conjeturada, reclamada *a posteriori*... numa queixa em que o herói visivelmente busca um refúgio, um desvio de seu excessivo sofrer-se: cf. v. 1397.

fica já "dado", antes recomeça numa busca: arranca da presença inquisidora do herói, que o provoca... e nesse ato se transforma. Até sua maldição (seu futuro) nasce de sua boca... Desse modo, o seu drama é provocação de si mesmo, em face do abismo divino: um rompimento que o recorta no singular de uma vertigem desoladora, na máxima solidão. O dinamismo trágico assim obtido é uma característica do genial dramaturgo. Mostra-o Reinhardt através de vigoroso contraste, ao observar que o homem esquiliano nem sequer na sua derrocada é autônomo e concentrado em si mesmo: "É apenas com Sófocles que o ente em declínio se torna um solitário, *monoúmenos*, desgarrando-se da totalidade em que se sustinha e mantinha".

Pode-se mesmo dizer que Sófocles inventou *o* mito de Édipo... na medida em que, manipulando imagens destacadas do flutuante corpo legendário, através de um recorte decisivo cingiu-as a um núcleo de irresistível gravitação, implicou o sentido de sua trama na figura do herói, tornada mais densa, concentrada no problema da sua existência. Deu então nova autonomia à sua história, referida ao jogo de uma identificação, possuída de uma identidade que a cristalizou — e escondeu de muitos olhos atentos a dança de suas variações. Assim o poeta individualizou este mito: fez dele um indivíduo trágico, solitário, *monoúmenos*, terrivelmente autocentrado, à imagem de seu protagonista — do sofocliano Édipo. Em face desta, as outras inovações que o autor da "mais trágica das tragédias" efetuou no corpo tradicional da saga dos labdácidas mostram-se, embora notáveis, secundárias: subordinam-se ao invento fundante de que derivam, ou o acompanham.

* * * *

Ésquilo já havia reelaborado a matéria tebana, de que erigiu um novo edifício. Ele escolheu fazer de Jocasta a mãe dos filhos de Édipo... Assim optou por uma determinada vertente épica, num ponto onde outra era também autorizada — visto como na *Édipodia*, segundo os testemunhos existentes, a mãe dolorosa de Etéocles, Polinices, Ismene e Antígone vinha a ser Eurígane, uma segunda esposa do herói... Mas, apesar dessa escolha, o autor de *Os Sete contra Tebas* manteve na sombra a figura de Jocasta... e então divergiu de maneira notável da linha aparentemente eleita. Pois tradições anteriores atribuíam a Jocasta um papel de destaque no drama dos filhos gêmeos. Eurípides, em *As fenícias*, realçando o drama dessa rainha, seguiu com maior clareza a trilha que já se vê esboçada em um "novo" e muito importante fragmento de Estesícoro.

Seja como for, Ésquilo manteve-se próximo da tradição épica dominante num ponto decisivo: pois deu sempre às Erínias um papel fundamental na história dos labdácidas. Já Sófocles ignorou-as em *Rei Édipo* e, se religou o herói às Eumênides no *Édipo em Colono*, procedeu, neste ponto, com o cuidado de não as constituir em furiosas suseranas do destino do herói, ou de sua família.

É certo que, na trilha de uma tradição seguida também por Píndaro, Ésquilo já relacionava muito decisivamente a paixão de Édipo com as luzes de Delfos: ele descreveu a atitude de Laio, ao gerar o filho malsinado, como um crime contra Apolo — crime de desobediência à prescrição oracular[25]. Porém situou o famoso parricídio na estrada de Pótnias... Cameron (1968:10) sugere que ele o teria feito para assinalar a presença dominante das Fúrias no evento: é inquestionável a identificação das *Erýniai* com as *Pótniai* celebradas no topônimo e no local evocado. Seu antigo discípulo não o seguiu. Deixando na sombra as terríveis deusas, Sófocles, como nota Cameron, *estreitou* a ligação da história de Édipo com Delfos. Acrescento que ele o fez não apenas ao situar no caminho conducente ao santuário pítio o terrível confronto de pai e filho, mas ainda por outro meio, quiçá de sua invenção. Vejamos... Píndaro (na *Segunda Olímpica*), Ésquilo e outras fontes falam no oráculo dado a Laio, mas não mencionam o outro agouro de Apolo referente ao destino do filho maldito — o oráculo que, segundo Sófocles, o próprio Édipo recebeu. Pode-se fazer um paralelo entre esta duplicação e a que fez o mesmo dramaturgo num outro ponto da história, quando envolveu *dois pastores* tanto na salvação quanto no reconhecimento do herói: isso seria, segundo cogitam muitos estudiosos, mais uma inovação sofocliana... Porém o recurso a *dois oráculos* tem, com certeza, um alcance maior: é evidente que fazendo Édipo apresentar-se *motu proprio* ao deus de Delfos e, em pessoa, ouvir-lhe a profecia referente a seu destino de parricida e incestuoso, Sófocles reforçou a ligação do herói e de seu *páthos* com o mundo de Apolo. Também o realçou ao pôr em cena Tirésias a confrontar-se com Édipo em um *agón* espantoso... embora neste caso não se saiba até onde inovou, pois é impossível determinar com certeza quando o profeta cego teria "entrado" nessa legenda dos

---

[25] Cf. Aesch. *Sept*. 745 sq.

labdácidas e assumido aí um papel de destaque. Penso que isso já se dava na *Édipodia* — se, conforme creio, o chamado "Sumário de Pisandro" reporta, de algum modo, conteúdos dessa epopeia. Por outro lado, o famoso Papiro Lille permite inferir a ligação entre o profeta de Apolo e o drama dos filhos de Édipo em tradições que sem dúvida remontam ao *background* épico das sagas tebanas...[26] De qualquer modo, uma coisa é certa: foi Sófocles quem explorou exemplarmente a oposição entre o saber divino de Tirésias e o de Édipo, exaltando a inspiração apolínea.

Devo ainda assinalar mais uma novidade sofocliana, que Cameron (op. cit., p. 15) brilhantemente destaca: o fato de que Sófocles faz o herói descobrir-se a si mesmo... Eis o argumento: se, na *Odisseia*, os deuses revelaram a identidade de Édipo; se Creonte, segundo parece, era quem o descobria na peça de Eurípides[27] (enquanto em Ésquilo nem sequer se pode conjeturar quem o fazia), na tragédia sofocliana *Oidípous Týrannos*, que estamos discutindo, ninguém senão Édipo descobre Édipo. Ora, nisso mesmo Apolo manifesta-se... Como Cameron lembra, este é o deus que preside à autodescoberta, o deus do *gnôthi seautón*. E no OT, até a fera enigmática, interpelando o herói com uma pergunta que exige do indagado ver-se como espécie, habita a sombra do Revelador, "is Apollo's creature in this play"[28].

Nessa tragédia, o sujeito dramático concentra de forma espantosa a ação e a paixão, que se entrelaçam e refletem. Na história de Édipo tal como Sófocles a narra, o herói é multiplamente *autókheir*: agride-se trucidando o pai e possuindo a própria mãe, amaldiçoa-se e condena-se, leva a mãe e esposa a matar-se, ataca seu aliado, cega-se. E faz tudo isso a procurar por si mesmo, em sua ignorância[29]. Mas note-se uma coisa: conforme declara o infeliz (versos 1329-30), é Apolo quem o leva a golpear-se com as próprias mãos. E de uma coisa não há dúvida: Apolo é quem o leva a reconhecer esse fato. Eis por que a tenebrosa revelação do herói, na "mais trágica das tragédias", é também uma epifania do *daímon* fulgurante. Como já

---

[26] Discordo, pois, do que sustenta Cameron (1986:12) a propósito do primeiro testemunho relativo ao papel de Tirésias na saga de Édipo, que para ele se acharia na tragédia esquiliana *Os Sete contra Tebas*.

[27] Refere-se ao Édipo de Eurípides.

[28] Em outras versões, a Esfinge é enviada por Hera (Schol. in Eur. *Phoen.* 1760) ou por Dioniso.

[29] Como bem adverte Cameron, ibidem p. 56.

advertira Reinhardt[30], esse drama vem a ser, ao mesmo tempo, um *ecce homo* e um *ecce deus*.

Édipo aproxima-se perigosamente do divino, toca o intocável... no cúmulo de sua impureza. A ligação entre o homem e o deus revela então seu insuportável excesso na ruptura que provoca, manifestando a tensão trágica da existência... pois, como diz Hölderlin (1965:219-20), a representação do Trágico funda-se nisso: "o monstruoso em que o deus e o homem se emparelham, em que a força da natureza e a interioridade humana tornam-se um, resulta em que o fazer-se da infinita unidade se purga através de infinita separação".

Segundo penso, Cameron tem razão no que, contrapondo-se a Knox (1971), reitera a incontestável presença dos deuses na tragédia sofocliana. Mas essa presença não é de modo algum a de um determinante exterior à ação, não a promove por manobras prodigiosas de que os heróis sejam meros instrumentos, ou objetos. Knox reagiu com muito vigor ao equívoco generalizado que impõe a *Rei Édipo* o rótulo de "tragédia do destino". Segundo esse modo de ver, o fatalismo aí residiria, no abater-se das determinações divinas sobre o protagonista passivo, dirigido pelo controle remoto da divindade. (No entanto Reinhardt já assinalara muito bem [op. cit., p. 141] que a ideia de um destino assim predeterminado só se afirma na Grécia depois dos estoicos e do triunfo da astrologia.) Na ótica fatalista, as predições de Apolo condicionariam toda a conduta de Édipo... Mas segundo Knox observa (1971:6), Apolo *não* prediz a descoberta que Édipo vem a fazer de sua própria identidade, nem o suicídio de Jocasta, nem o autocegamento do herói...

Não há dúvida de que Sófocles sublinha a iniciativa de seu personagem, seu caráter dinâmico, resoluto. O herói reflete, delibera e age com segura autonomia: "A ação de Édipo não é só a de um agente autônomo; é também a causa de todos os eventos na peça..." Além de ser "o fator causal na trama da tragédia", seus atos e decisões representam a expressão de um caráter enérgico, muito definido: "Na tragédia grega, Édipo é com certeza a maior individualidade"[31]. Não obstante isso, a atividade apolínea, a eficácia do silencioso movimento do deus (do "outro lado" do drama, por assim dizer) é terrivelmente intensa. Knox esforça-se em vão por negá-la, quando

---

[30] Cf. Reinhardt, 1971:180; ver ainda Opstelten, op. cit. p. 61.
[31] Cf. Knox, op. cit. pp. 12 e 14.

argumenta que não existe base para atribuir-se a Apolo o flagelo da peste (identificada pelo poeta com Ares); o mesmo vão empenho ele mostra quando rejeita uma consagrada emenda de Brunck e lê os versos 376-7 de modo hoje insólito, só para evitar a interpretação que atribui a Apolo, na profecia de Tirésias, a queda do herói. O esforço é inútil. A nada leva, mesmo onde o helenista argumenta do modo mais brilhante: por exemplo, ao refutar a equiparação comum, inteiramente equivocada, de premonição e predestinação — um falso apoio em que as interpretações "fatalistas" se arrimam de um modo precário[32]. O fato é que Sófocles afirma com a máxima ênfase possível a fulminante atuação de Apolo nesta tragédia: nos já citados versos 1329-30 e também, com imagens terríveis, na primeira antístrofe do Segundo Estásimo.

Lembro ainda uma passagem em que é preciso reconhecer tremenda manifestação ativa do grande deus: a abertura do Terceiro Episódio, quando Jocasta ora ao divino vizinho e imediatamente surge o Mensageiro, cujas palavras primeiro a iludem, depois a desiludem de um jeito sinistro, levando-a à morte... Creio que é preciso reconhecer aí, como mostrou Kitto (1990:I:256 sq.), uma pronta resposta da divindade, dada com pavorosa ironia — e sem interferência extraordinária anuladora dos motivos humanos, que bem justificam todo o acontecido[33].

Mas volto a Knox. Deve-se a ele uma observação muito aguda: um Édipo que descobrisse ter cometido por puro acaso o incesto e o parricídio seria uma espécie de monstro, um espetáculo impossível

---

[32] Kitto (1990:I:262) explica bem o sentido da afirmação da presciência divina em Sófocles: mostra que esta se relaciona com a ideia de uma sagrada ordenação do universo, com a recusa de o ter por caótico e irracional; ou seja, liga-se com o postulado de que o mundo se funda num *lógos*. Knox (op. cit. p. 42) corretamente assinala que Sófocles assim se contrapunha a concepções emergentes no século V, difundidas por sofistas e filósofos, isto é, a "novas concepções de um universo governado por leis naturais, pela inteligência humana, pelas leis da selva ou pela falta de lei da sorte cega".

[33] Note-se que Kitto, como Knox, também reage contra a visão fatalista da tragédia *Rei Édipo*, e contra a interpretação algo cristã de Bowra (op. cit.), o qual vê aí a imposição divina de um terrível exemplo aos homens, uma demonstração de sua miséria e da grandeza dos imortais, destinada a abater o orgulho dos semelhantes de Édipo.

de contemplar... Assim, "a existência da profecia é a única coisa que torna a verdade suportável, não apenas para nós, mas também para o próprio Édipo". Ora, esta intuição já aponta para o reconhecimento de um enlace contraditório, agônico, da ação humana com o fazer divino no mundo de Édipo.

Mais adiante será necessário voltar a esse ponto... Agora, cabe frisar bem um outro dado que o mesmo autor assinalou, com magnífica simplicidade. Segundo ele diz (Knox, op. cit., p. 6), "a catástrofe de Édipo consiste em que ele descobre a sua verdadeira identidade". Sim. É curioso ver como frequentemente se troca o tema desta peça... Assim que ela se inicia, parricídio e incesto já são fatos consumados. A tragédia *Rei Édipo não* trata disso. Trata da identidade — da identificação — do herói. E como Knox acentuou, nos atos que ele realiza em cena "... a fatalidade não desempenha nenhum papel".

* * *

Uma parte não pequena da imensa bibliografia a respeito da tragédia *Rei Édipo* é de leitura acabrunhadora. Refiro-me aos escritos que se dedicam ao julgamento das culpas atribuídas ao herói. Como diz Suzanne Saïd, praticamente não há um ato do infeliz que não tenha sido censurado. Muitos o condenam pelo que fez e deixou de fazer ainda antes do começo do drama; outros o incriminam por tudo que o veem realizando, ou deixando de realizar, no palco. E ainda mais por alguma coisa... que sempre descobre a triste imaginação dos intérpretes moralistas. Assim se procura justificar a horrenda miséria do miserável, em tiradas sem fim de impiedosa teodiceia. De resto, não é só Édipo que sofre essa inquisição. Jocasta tampouco escapa. Schlegel, por exemplo, criticou a "arrogância" e a "leviandade" da rainha mítica, face a dogmas em que ele mesmo, Schlegel, não acreditava nem um pouco.

Quanto ao filho de Laio, os acusadores são infatigáveis. Conforme lembra ainda Saïd (1978:27), com legítimo espanto, a Édipo já criticaram até a "ímpia" tentativa de fugir ao destino, "rebelando-se contra os deuses", no que se desviou de Corinto para não cometer incesto e parricídio. Claro, então os deuses o teriam castigado... tornando-o criminoso, culpado de incesto e parricídio.

Isso não é mais extravagante do que o argumento, usado com maior frequência, que prescreve ao herói essa mesma "punição" pelo que fez ou foi *depois* dela: *grosseiro* com Tirésias, *injusto* com

Creonte, *rude* com o escravo, *malcriado* com Jocasta, o pobre teria merecido, por conta desses erros e defeitos, o seu nefando destino de parricida incestuoso[34].

Esse tipo de crítica reflete uma atitude que se pode classificar de antissofocliana. Pois Sófocles foi homem de compaixão, muito pouco interessado em culpas. Em suas tragédias, o sofrimento humano incide tanto sobre o inocente como sobre o culpado; logo, aquele que sofre não é automaticamente culpado... Ou seja: na obra de Sófocles "não encontramos teodiceia alguma, nenhuma investigação sobre a causa do sofrimento, mas sim a convicção de que o sofrimento é inerente à natureza humana[35]. De fato, no *Rei Édipo*, Sófocles não pôs o "problema" da culpabilidade do herói. Poderia tê-lo feito. Poderia ter aberto aí essa discussão, erigindo um "tribunal" dramático em que o espectador se visse compelido a tomar parte. Mas disso não se ocupou. Outros o fizeram, por sua conta, no exame deste drama. No *Édipo em Colono* é que o poeta aborda a questão da culpa. *E o herói se declara inocente* tanto do incesto como do parricídio que cometeu[36]. Sua defesa é aceita sem discussão pelo coro.

A interpretação equivocada de uma passagem de Aristóteles foi muito responsável pela febre judicativa dos críticos de *Rei Édipo*. No capítulo XII da *Poética*, o filósofo trata da situação trágica por excelência e procura identificar o tipo de homem que pode encarná-la. Procede por eliminações: homens muito bons que passem da boa para a má fortuna, isso causa repugnância; homens muito maus que passem da má para a boa fortuna, isso é contrário aos sentimentos humanos; malvados a precipitar-se da felicidade para o infortúnio — isso até satisfaz o senso humano, mas tampouco provoca terror e piedade...

---

[34] Um moralista da Antiguidade (Eliano, no *De natura animalium*, III, 47) foi o mais misericordioso da classe: ele apenas censurou Édipo por ter furado os próprios olhos.

[35] Opstelten, op. cit. pp. 49 e 50. Cf. ainda ibidem p. 96: "... o que nos impressiona em Sófocles é a sua dedicada atenção e sua simpatia profunda para com o sofrimento individual, e em particular para com o sofrimento do inocente..."

[36] Cf. *Oed. Col.* versos 273, 258, 547, 994-6, 997 e passim.

Resta, portanto, a situação intermediária. É a do homem que não se distingue muito pela virtude e justiça; se cai no infortúnio, tal não acontece porque seja vil e malvado, mas por força de algum erro; e esse homem há de ser algum daqueles que gozam de excelente reputação e fortuna, como Édipo e Tiestes, ou outros insignes representantes de famílias ilustres.

Na excelente tradução que citei[37], "erro" está por *hamartía* — uma palavra que tem, no grego antigo, uma ampla gama de significados: de "falha", ou "falta", a "engano", ou "culpa". Nos textos cristãos, na *Septuaginta* e no Novo Testamento, assim como na Patrística, o sentido de *hamartía* fixou-se como *pecado*. Como nota Saïd (op. cit., p. 12), isso induziu o erro dos primeiros tradutores da *Poética*, que projetaram no texto aristotélico os valores do termo a que os tinha acostumado sua própria cultura religiosa. Saïd lembra também (ibidem, p. 11) que a interpretação de *hamartía* como "culpa" se estendeu até o século XIX, e até hoje encontra defensores[38]. Entendeu-se ainda a palavra como designativo de "defeito de caráter". Essa interpretação surgiu na Renascença e voltou a impor-se, com grande prestígio, na Inglaterra do século XIX, quando se generalizou a elaboração de diagnósticos do "tragic flaw" dos heróis, particularmente de Édipo.

Este, como Sófocles o pintou, é um homem de inegável grandeza. Tem magníficas qualidades... e defeitos também notáveis. Já muito se falou de sua autossuficiência, de sua precipitação no julgamento, da autoritária dureza com que ele destratou e sentenciou Creonte, do destempero furioso que mostrou no seu confronto com Tirésias, da teimosia que o fez ignorar advertências repetidas de Jocasta e do servo. É claro que tudo isso contribuiu para a terrível peripécia do reconhecimento que o arrasou. Porém, segundo já notaram Dodds

---

[37] Eudoro de Sousa, 1966:82.
[38] Na sequela de Karl von Fritz (1962), identifica Saïd ainda outros fatores da interpretação moralizante do conceito aristotélico: a influência do platonismo — pela ideia da identificação de virtude e felicidade —, a influência da propaganda estoica do teatro de Sêneca, voltado para mostrar as consequências funestas das paixões, "e os mistérios da Idade Média, que com frequência representam a tentação, a queda e a redenção do pecador..." Tudo isso desembocou na exigência de uma "justiça poética", que se tornou necessário demonstrar principalmente nas obras exemplares dos clássicos.

(1983) e Knox (1971), suas virtudes contribuíram ainda mais para sua desgraça. Édipo não é apenas o violento e arrebatado príncipe que, sem maiores cautelas, sem julgamento, condena à morte o próprio cunhado (note-se, entretanto, que ele soube refrear sua fúria, por respeito pela mulher e com pena da aflição dos tebanos: a custo, mas conteve-se); é também o homem generoso, compassivo, que se aflige com a dor de seu povo, assume prontamente as suas responsabilidades para com Tebas; o homem franco, sincero, com um terrível amor à verdade: mesmo com o risco de sua segurança, de sua honra e de sua vida, procura, insistentemente, conhecê-la toda. E é isso que o perde.

Pode-se advertir melhor essa sua tremenda ânsia do verdadeiro contrapondo sua atitude à de Jocasta, como fez Reinhardt (op. cit., p. 172), que, todavia, estava muito longe de uma censura moralista à pobre rainha ou a seu infeliz filho-marido: a enormidade de Jocasta — Reinhardt pondera — cifra-se em sua disposição de acolher a aparência para preservar a vida do esposo; a enormidade de Édipo, ao contrário, consiste em aceitar a vida de cego e proscrito, desde que ela corresponda à verdade.

Realmente, nesse tremendo e magnânimo Édipo, não há traço de má-fé. Bastava-lhe um pouquinho disso para que desconfiasse de um possível resultado desastroso de sua busca e torcesse caminho, enganando os outros e até a si mesmo. Nem lhe faltava o poder para a imposição de uma "história oficial" conveniente. Mas ele não hesitou em dar o último passo da sua catástrofe, quando já a tinha por certa. A verdade só o atinge — e derruba — porque ele é verdadeiro.

A impressão de sua grandeza se impôs tanto que este herói foi com frequência comparado a homens extraordinários. Segundo Ehrenberg (1954), *Péricles* teria servido de modelo a Sófocles para o traçado da figura dramática do soberano de Tebas[39]. Cameron (op. cit.) aproximou o Édipo sofocliano de *Sócrates*, por sua paixão do autoconhecimento. Knox (1971:55) foi além: tanto por suas virtudes

---

[39] Recorde-se que Péricles enfrentou uma terrível peste na Cidade sob seu governo... e foi acusado por seus inimigos de uma impureza com que afetaria a *pólis*: os lacedemônios até exigiram que os atenienses o expulsassem, pois os antepassados do grande general assassinaram Cílon — e a mancha hereditária o contaminava, de acordo com o direito religioso invocado. Cf. Herod. V, 70.

como pelos seus defeitos, comparou o Rei Édipo sofocliano à própria *Atenas* — a *pólis týrannos*, segundo a chamaram seus adversários. Nem por isso o triste soberano da legenda escapou ao processo de uma crítica que o mantém no banco dos réus de uma tradição inveterada.

Aristóteles "cristianizado" foi vítima de uma ampla canonização nas escolas. Se o "maestro di color chi sanno" falava em culpa trágica e citava Édipo, como o herói poderia escapar? Gerações de mestres e estudantes se empenharam em incriminá-lo, de todas as formas imagináveis: a tragédia de Sófocles tornou-se pasto de uma feroz teodiceia. Repetidamente, grandes estudiosos do trágico têm protestado contra isso...[40] mas sem muito êxito: na penúltima década do século passado, Dodds (1983) verificou, com desalento, que essa febre continuava grassando nos meios acadêmicos. Afinal, foram séculos de exercícios retóricos que tomavam a forma explícita de um debate jurídico: *Será Édipo inocente ou culpado?* No entanto, os acadêmicos que se envolveram nesse debate sucumbiram a um grande equívoco. Reinhardt bem o advertiu (op. cit. supra, p. 181), se Orestes pôde ser absolvido, nenhum tribunal do mundo poderia arrancar Édipo ao que ele reconheceu como seu próprio ser...

Freud renovou a tese da culpa de Édipo, conferindo-lhe um sentido mais rico, ao jogar com o binômio *consciência* x *inconsciente* no âmbito de uma relação simbólica. Ele partiu da constatação de que Édipo é de fato inocente, segundo o relato trágico... mas, a seu ver, também culpado: entende o grande psicanalista que Édipo se castigara ao furar os olhos.

A interpretação freudiana tem um momento forte e um momento fraco. O momento forte acontece quando o criador da Psicanálise considera a relação entre o símbolo dramático que vem a ser o *Rei Édipo* e o espectador da tragédia. Então sua abordagem toma um sentido que corresponde à força da criação sofocliana num ponto fundamental: sem dúvida, Sófocles abriu espaço, nessa tragédia, a uma reflexão sobre a condição dos homens: ela realiza um *ecce homo* singular. No momento poderoso em que toca o espaço reflexivo assim criado pela poesia sofocliana, Freud volta-se para o espectador, ou, antes, olha para si mesmo... pondo-se no lugar de todos os homens

---

[40] Como Willamowitz-Möllendorf, 1889; cf. ainda Opstelten, op. cit. p. 62.

que a imagem de Édipo comove. O momento fraco sucede quando o Psicanalista se afasta do exame dessa relação e projeta a culpa na história trágica, como um dado objetivo dela. Então a distorce.

Os desvios freudianos da leitura de *Rei Édipo* já foram muitas vezes comentados. Não há como negá-los... Freud até modificou, sem o perceber, o enredo da peça, em pontos significativos. Assim, ao sumarizá-la, na *Intrrepretação dos sonhos*[41], ele diz que Édipo foi aconselhado pelo oráculo a manter-se longe de sua pátria... Mas isso não se acha em parte alguma do texto sofocliano (a única versão do mito que ele considera). O maior desvio, contudo, está na atribuição de um sentimento de culpa ao herói. O protagonista de *Rei Édipo* em nenhum momento desta tragédia se declara culpado ou manifesta propriamente remorso: exprime de maneira terrível a vergonha de sua impureza — e é só. No *Édipo em Colono*, o herói se declara inocente... e mostra-se ainda envergonhado. Está claro que sua vergonha não envolve arrependimento, culpa, autoacusação.

Por desgraça, foi o momento fraco da interpretação freudiana o que mais seduziu e motivou os seguidores do Mestre de Viena. Anzieu (1966) reiterou um lapso contido no ligeiro resumo freudiano da peça, feito no *Traumdeutung* (a afirmativa de que o oráculo aconselhara Édipo a afastar-se dos genitores) e acrescentou um agravante: se o príncipe, quando decidiu não mais voltar para Corinto, sabia que lá viviam seus pais *adotivos*, cometeu um equívoco muito suspeito... Mas como lembrou Vernant (1981), assim Anzieu faz uma suposição que contradiz o texto sofocliano: pelo que este reza, Édipo *não sabia* serem Pólibo e Mérope seus pais *adotivos*... Daí decorre a conclusão irretorquível do helenista: como o desenvolvimento da tragédia funda-se justamente na ignorância de Édipo quanto à sua verdadeira origem (pois ele acreditava ser filho do rei e da rainha de Corinto), está claro que o herói de OT não tem o menor complexo de Édipo.

O fato é que a exegese psicanalítica dos epígonos de Freud fez recrudescer com intensidade espantosa a crítica acusatória, na abordagem desta tragédia. As velhas acusações reviveram com acrescida sutileza e severidade. Anzieu sisudamente declarou que se Édipo desposasse uma jovem ficaria imune ao incesto matrifilial. Então, por que não se casou com uma garota? Não é revelador que esquecesse

---

[41] Cf. Freud, 1980 (1900) — ESB 4:277.

um remédio tão simples? (Com um pouco de humor negro, caberia retrucar que o conselho não é assim tão bom: Édipo sempre poderia tornar-se um incestuoso adúltero...). André Green (1968) foi um pouco mais longe: o herói, tendo ouvido o oráculo, deveria tornar-se mais circunspecto, evitando brigas com todo homem idoso o bastante para ser seu pai e relações sexuais com quaisquer mulheres que mostrassem idade suficiente para ser sua mãe. Se não o evitou — presume o dr. Green — é porque, no fundo, estava mal-intencionado.

Essas acusações não são novas. Apenas se revestiram de uma moderna e sutil autoridade clínica. Mas não creio que se tenha avançado muito psicanalisando o herói sofocliano, como tantas vezes já se fez. Nem me parece que seja esta a melhor aplicação à tragédia da hermenêutica inaugurada por Freud. Creio que daria muito melhor resultado, seria muito mais enriquecedor o seu uso no exame da ambígua, insidiosa e tensa linguagem do drama, do *Rei Édipo*.

* * *

No último capítulo do livro *La Potière Jalouse*, no contexto de uma crítica ao procedimento freudiano de interpretação dos mitos, Lévi-Strauss (1985) voltou a ocupar-se da legenda de Édipo, de que propusera uma famosa interpretação num artigo escrito décadas atrás. Nesse retorno, voltou-se particularmente para a tragédia aqui em debate e a comparou com uma peça de *vaudeville*. A comparação acha-se proposta no corpo de um questionamento que visa a Freud: se o código sexual explicasse sozinho este mito, como se poderia entender a satisfação que "nos" dá *Un chapeau de paille d'Italie?* O pressuposto de Lévi-Strauss é que essa comédia de Labiche tem a mesma armadura de *Rei Édipo* e é por isso que agrada tanto (quanto a tragédia de Sófocles, entenda-se), embora trate de um tema distinto... Em suma, para o grande antropólogo, o mais famoso drama sofocliano encerra um enigma policial progressivamente decifrado, no decorrer de um processo público, e tem seu ponto de partida numa simples questão jurídico-política, desde quando, em última análise, trata-se aí de saber quem será o governante legítimo de Tebas: o marido ou o irmão da rainha Jocasta.

Mesmo que se esteja decidido, a qualquer custo, a ler assim a tragédia sofocliana *Oidípous Týrannos*, a proeza não é fácil. Não se pode, sem grande distorção, reduzi-la ao debate desse "problema" jurídico-político, que Sófocles *não* colocou. Ele mostrou o herói com suspeitas de que Creonte o queria depor, preocupado com uma conspiração imaginária; mas fez questão de caracterizar essa "luta pelo trono" como fantasia. O protagonista de sua tragédia, que se depôs a si mesmo, no termo reconheceu que o pretenso rival não o era de fato. Sófocles deixou claro que Creonte jamais disputou o trono do cunhado. Eurípides é que parece ter, no seu *Édipo*, focalizado uma ciumenta campanha do irmão de Jocasta contra o marido dela. (Mas isso não passa de conjetura dos filólogos que se empenharam em reconstituir essa tragédia com base em débeis fragmentos.) O certo é que na tragédia de Sófocles, OT, Creonte não busca o trono; só vem a ocupá-lo quando, a rigor, se vê compelido a isso, em consequência da *voluntária* retirada de Édipo.

Creonte não contesta jamais a soberania do cunhado. Apenas protesta, sob gravíssimo risco e com inegável moderação, contra o abuso de um poder que considera legítimo: reage desse modo quando seu rei o condena à morte sem provas e sem julgamento. Ainda assim, outros é que conseguem impedir sua execução. Porém os defensores do príncipe (a rainha e o povo tebano, representado pelo corifeu) em momento algum questionam a autoridade do *týrannos*, seu império absoluto. Nem Jocasta se rebela, nem os tebanos se insurgem: eles *rogam*. Édipo cede: não coagido, mas porque a aflição dos suplicantes lhe causa piedade. E a insurreição de Creonte não existe. Ninguém, em nenhum momento, aventa a hipótese de que o irmão de Jocasta estaria melhor no trono de que seu marido. E quando Édipo se descobre um parricida incestuoso, ele mesmo se destitui, sem que qualquer pessoa o pressione, sem levar em conta Creonte para nada. Mesmo a decisão de seu banimento, o rei autodeposto praticamente arranca (ou melhor, quase arranca) de seu sucessor. Por fim, nunca é demais sublinhar um ponto decisivo: Édipo no termo reconhece — e declara — que errou em seu juízo sobre Creonte. Ou seja: segundo o herói conclui, não havia conspiração, disputa, questionamento de seu poder, nem seu cunhado lhe pretendia o cargo. Quereria Sófocles dizer justamente o contrário? Mas por que não o disse? E por que o contradisse?

Lévi-Strauss não foi o primeiro a assinalar a decifração de um "enigma policial" como o núcleo da trama de *Rei Édipo*. Muitos, infinitas vezes, já apontaram esta tragédia como o grande antepassado das histórias de detetive. Porém é fácil ver que esse elemento da composição está longe de resumir o sentido da obra. Para quem a lê com esse interesse, ela não deve ser muito bem construída: por que não acaba no verso 1185, ou, no máximo, no 1222?

Quanto à comparação levistraussiana entre o teatro de Sófocles e o de Labiche, não há muito que discutir. Cabe apenas uma pergunta: por que razão, tendo a mesma estrutura de *Rei Édipo*, o drama *Un chapeau de paille d'Italie* "nos" impressiona tão pouco?

* * *

Cameron (1968:35) analisou brilhantemente a tragédia *Rei Édipo*, mostrando que ela se desenvolve na trilha de uma perquirição cambiante, a qual percorre, por assim dizer, distintos patamares. Segundo o helenista, constituem as etapas desse inquérito três perguntas fundamentais lançadas de forma sucessiva pelo herói. Primeiro, ele indaga: "Quem é o assassino de Laio?" — Depois se interroga: "Serei eu esse assassino?" — E, por fim, concentra-se na questão: "Quem sou eu?"

Está certo... mas falta alguma coisa.

O drama principia mostrando o herói atormentado por uma questão preliminar. Ela lhe é colocada pelo sacerdote de Zeus e pelo grupo silencioso dos jovens suplicantes. Pelo menos assim parece, à primeira vista... A questão preliminar tem um sentido prático, mas pode formular-se também de um modo menos restrito à exigência da ação. No essencial, numa primeira instância, pode-se explicitá-la assim: *Que significa a peste assoladora de Tebas?*

Com efeito, a súplica dirigida a Édipo funda-se no pressuposto de que essa epidemia tem um significado, é algo possível de decifrar-se. Implica também a ideia de que o encontro de seu sentido oculto representará o termo da calamidade. Por outras palavras, espera-se que ela desapareça, tal como a Esfinge, quando o rei sábio atinar com a resposta ao enigma de sua aparição. É o sacerdote enunciador da súplica quem traça o paralelo entre este evento e o caso que Édipo já resolveu. Mas há outro pressuposto: o de que a peste concerne a Édipo, é assunto dele. Como rei de Tebas, cabe-lhe enfrentar o desafio desse mortal enigma.

O rito de súplica envolve uma afirmação do poder do destinatário, a quem os suplicantes se entregam... mas também (e por isso mesmo) envolve um constrangimento[42]. A desgraça toca os altares de Édipo através das mãos dos jovens súplices. Toca ao Rei a impureza de sua Cidade.

---

[42] A respeito veja-se Louis Gernet, 1968.

O soberano logo declara que a pergunta (re)colocada por seu povo, implícita na súplica de seu povo — "Que significa a peste assoladora de Tebas?" — ele próprio, antes ainda de ser rogado, já a tinha feito a si mesmo: mostra que se antecipou na busca de uma resposta, seguindo por sua conta o caminho só depois sugerido pelo sacerdote: já mandara consultar o oráculo. Tal como ele a fizera a si mesmo antes de suplicado, essa pergunta poderia explicitar-se assim: *Que* me *diz a peste em meu reino? Que resposta* me *exige?*

Ao surgir na consciência de Édipo e na de seus súditos, a interrogativa "preliminar" envolve uma certeza muito plena, embora não se explicite: *a peste resulta da violação de uma norma sagrada. Traduz um ato impuro, um sacrilégio*. A partir dessa convicção, indaga-se (em silêncio): que impureza é esta, que assim repercute? Que crime a doença do povo, a miséria dos úteros e a terra gasta significam? É preciso identificá-lo para acabar com a desgraça. Édipo apenas verte a questão em termos práticos quando busca saber do deus *o que fará ou dirá* para a salvação da urbe.

A resposta trazida pelo oráculo vem ao encontro da expectativa dos indagadores: corresponde a uma silenciosa convicção do povo e do rei ("há algo de podre na sociedade tebana"). Creonte transmite a ordem do deus: remover "a imundície de Tebas" — e o soberano indaga de imediato de que tipo ela é, qual a purga adequada. Informado de que se trata de um assassínio (o regicídio ainda impune), faz o que julga necessário: *diz* uma imprecação.

O Prólogo da tragédia, que se estende do verso 1 ao 150, encerra o desenvolvimento da questão velada e descreve como ela se transforma, a partir da resposta do oráculo, na pergunta consequente: "Quem é o assassino de Laio?" O Párodo (versos 151-215) inicia-se com uma reflexão angustiada sobre o voto necessário à purificação e retrata o horror da peste, entre súplicas aos deuses para que ponham fim à calamidade.

O Primeiro Episódio divide-se claramente em duas partes: na primeira cena, que transcorre entre Édipo e o coro, o herói abre solenemente o inquérito, agindo de acordo com os poderes sagrados de sua investidura régia, segundo as normas e praxes jurídico-religiosas adequadas ao caso: pronuncia um conjuro, intima o assassino e determina sua excomunhão da urbe. A maldição, a terrível *ará* que o rei pronuncia, leva o coro a responder protestando inocência, com uma fórmula ritual muito reveladora. A chegada de Tirésias instaura a nova cena, que se transforma num *agón* espetacular... Édipo vê na resistência do adivinho um ato de má vontade que bloqueia seu inquérito; por outro lado, ele mesmo se desvia no rumo de uma suspeita adventícia, a do suposto complô de Creonte com Tirésias... Porém o profeta acaba enunciando com clareza o que quisera calar: aponta o interpelador como o criminoso que ele mesmo procura — e assim cria a possibilidade da nova pergunta, prepara a suspeita pela qual o rei há de sentir-se, depois, transtornado[43].

O Primeiro Estásimo (versos 463-512) expõe com vigor o tema da perseguição ao assassino e termina em uma referência rápida à suspeita lançada contra Édipo, de quem o coro toma o partido.

O Segundo Episódio (versos 513-862), tal como o primeiro, divide-se claramente em duas partes. Na primeira delas, o herói segue o desvio que o afasta de seu inquérito, investigando a imaginada conjura de Creonte. Ocorre então o segundo *agón* da peça, que a intervenção de Jocasta detém, mas só depois de a tensão elevar-se ao paroxismo de um *kómmos*.

Na cena seguinte, no diálogo entre Édipo e a rainha, o herói vê-se sacudido pelo receio nascido de uma referência casual de Jocasta: é quando passa a reger o desenvolvimento da peça a terceira indagação (a segunda, na conta de Cameron): "Serei eu o assassino?"[44] Tentando

---

[43] Não é possível dizer com certeza quando Tirésias terá ingressado na história de Édipo. Até se cogita se foi Sófocles o responsável por essa inovação. O escólio ao verso 1760 de *As fenícias*, de Eurípides, que cita um certo Pisandro e faz referência, também, à *Édipodia*, menciona um conselho de Tirésias dado a Laio; fontes tardias, como Higino (*Fab.* 67), incorporam o adivinho, mas não parecem ir muito além do argumento sofocliano, de que em grande medida dependem. De qualquer modo, se Sófocles não introduziu Tirésias na legenda do triste herói, ainda assim inovou pela maneira como lhe desenhou o caráter e o envolveu na trama. Ver a respeito Roissmann, 2003. Cf. Segal, 1995 e 2001.

[44] Nesse ponto, os críticos acusadores triunfam muito facilmente. Afinal — como dizem — o herói revelou-se culpado ao contar a proeza que realizou na encruzilhada fatídica. Pode-se inocentá-lo do parricídio, alegando seu desconhecimento da identidade de Laio (e da sua própria), mas ele efetivamente confessou-se um homicida, digno do castigo que cabe a um assassino. Porém é preciso cautela, pois "matar um homem em legítima defesa durante uma viagem seria considerado um ato moralmente justificado no fórum da ética heroica" (Schmidt-Stählin, 1934:371). Greiffenhagen (1966), num artigo muito citado, deu-se ao trabalho de mostrar que Édipo teria sido absolvido no tribunal do Paládion, pois de acordo com o direito ático apenas lhe sucedeu cometer um *phónos díkaios*. Por outro lado, Saïd (op. cit. p. 16) observou

de novo serenar Édipo, pois este revelara o medo de que Tirésias estivesse certo, acrescido pelo receio que o levou a afastar-se de Corinto, Jocasta sustenta a tese da vanidade das profecias. Embora hesitante, Édipo concorda com ela.

A questão é de algum modo retomada no Segundo Estásimo (versos 863-910), um dos trechos mais discutidos da peça. Errandónea (1952), por exemplo, sustenta a tese de que não podem referir-se a Édipo nem a Jocasta certas alusões aí feitas à soberba do tirano[45]. Segundo sua interpretação, é a Laio e a seus erros, causa das desgraças de Tebas, que o coro então alude. Mas isso contradiz a atitude sofocliana nesta peça. Conforme já se viu aqui, em OT Sófocles simplesmente ignora o tema da maldição original provocada por Laio.

Knox (1971:99-100) concorda com o jesuíta na parte negativa de seu argumento, mas refuta sua identificação do personagem aludido: a seu ver, nessa passagem Sófocles refere-se a... Atenas; faz um discurso político no qual critica a *hýbris* da *pólis týrannos*. (Considero essa tese insustentável.) Winnington-Ingrams (1981:79 sq.), acatando emenda de Blaydes[46], propõe outra leitura do verso 873 e, com base nisso, vê aí uma manifestação do espanto do coro com a soberba que então o rei Édipo lhe parece alentar. Já Sidwell (1992) formula uma hipótese um tanto fantástica: o coro estaria imaginando que o filho de Laio e Jocasta, de cujo abandono a rainha falara, teria sobrevivido e estaria a conspirar contra... o filho de Pólibo; ou seja, contra Édipo — tal como os tebanos o identificam nessa altura. De acordo com sua tese (op. cit., p. 113), o coro, diferentemente de Jocasta e Édipo, estaria convicto de que o oráculo de Laio continuava a ser verídico; fundaria essa convicção tanto no seu respeito para com Apolo Délfico quanto no reconhecimento de que a exposição de uma criança, nos moldes tradicionais, não dava plena garantia de sua extinção; o relato de Jocasta teria deixado dúvidas quanto ao desenlace... Mas creio que Carey (1986) está certo ao dizer que a ode do segundo estásimo não apresenta um comentário pormenorizado da cena precedente.

---

que Sófocles, no *Rei Édipo*, evitou empregar termos evocativos de culpa... e muito logicamente concluiu que deve explicar-se "pela vontade de mostrar apenas o aspecto objetivo da história de Édipo e pela recusa de pôr a questão de sua culpabilidade".

[45] Veja-se a parte central da ode: sobretudo na primeira antístrofe e na estrofe segunda.

[46] Veja-se o aparato crítico da edição aqui apresentada.

Nela, "o coro não está a julgar personagem algum da peça; apenas dá uma resposta emocional de sentido amplo [à situação vagamente percebida], como faz ao longo de todo o drama".

Por outro lado, é difícil negar que nessa passagem se reflete o espanto dos cidadãos tebanos, a perplexidade e o receio que lhes infunde a manifestação de ceticismo de seus soberanos — e talvez, também, o tratamento dado por Édipo a Creonte.

Além desses fatores, Jebb, em comentário *ad locum*, sugeriu que o coro manifestaria na passagem uma suspeita quanto à culpabilidade de Édipo na morte de Laio. (Isso me parece mais discutível.)

O abalo provocado no coro pelo diálogo de Édipo e Jocasta bem pode ser o ponto de partida de uma reflexão que transcende o momento. E como Winnington-Ingrams muito bem assinalou, tanto quanto sucede com os personagens sofoclianos em geral, a esse coro trágico também lhe acontece dizer *mais do que conscientemente pensa*... por vezes, até o contrário do que imagina estar falando: este é o movimento característico da ironia trágica sofocliana.

O Terceiro Episódio (versos 911-1085) inicia-se colocando em suspenso a questão que angustiava Édipo na etapa precedente ("Serei eu o assassino de Laio?"). Isso decorre da chegada do mensageiro coríntio. Ele faz que Édipo se dedique à questão radical: "Quem sou eu?"

O Estásimo Terceiro (versos 1086-1109) celebra a esperança ilusória do coro, que então imagina aproximar-se do conhecimento de uma origem divina do rei, e o exalta.

Mas sucede-se, no Episódio Quarto (versos 1110-1185), a *anagnórisis* em que todas as indagações de Édipo encontram resposta inesperada e terrível: a resposta onde todas convergem. Assim, o Quarto Estásimo (versos 1186-1222) reflete o desengano dos anciãos de Tebas que contemplam o destino de Édipo e refletem sobre a miséria da existência humana.

O reconhecimento não se encerra, porém, na constatação feita pelo herói. Édipo deve realizá-lo num outro nível, num sentido mais profundo, no seio das trevas em que mergulha. É este o tema central do Êxodo (versos 1223-1530). O coro encerra-o, solenemente, com um trágico *ecce*.

* * *

A Esfinge está presente na tragédia *Rei Édipo*. Não é um de seus personagens, mas ressurge no desengano que dissipa o sentimento do triunfo antigo do herói. Pois ao confrontá-la, como diz Cameron (op. cit., p. 22), Édipo *não* decifrou o enigma. Na tragédia, Apolo é quem leva o herói a reconhecer-se, a encontrar-se a si mesmo. Isso mostra que a resposta dada pelo príncipe no embate com a virgem feroz foi insuficiente: dizer "Homem" não bastava, não era *toda* a solução. A resposta ao enigma da vida de Édipo em todas as provas corresponderia a ele mesmo: o indagado, o "decifrador".

A Esfinge está presente na estrutura enigmática da peça. Encarna-se nos *grýphoi* que marcam seu texto em pontos cruciais. Canta sua música perturbadora na linguagem faiscante do drama. Como bem o advertiu Charles Segal (1987:116): "A vida de Édipo se desenrola no drama em paralelo com a luta da linguagem". Ou seja, conforme diz ainda esse autor (1987:116), o herói tenta criar um espaço de significação sempre em risco de desaparecer "sob a ameaça do nada total, do zero do *nonsense* ou da inalcançável plenitude dos deuses..." Ora, se é assim, pode-se dizer que na obra de Sófocles a terrível aventura de Édipo, entre a besta e o deus, entre Apolo e a Esfinge, se entretece com um outro drama — o da poesia. Torna-se aí vertiginosa a busca da "palavra totalizadora, capaz de nomear o inominável", segundo bem o exprime Jacyntho Lins Brandão (1984:14), tratando desse texto marcado pela "agonia da fala dilacerada".

O multívoco jogo da ironia, tão característico de Sófocles, acentua-se de maneira fantástica no drama em que um estudioso relacionou cerca de cinquenta fórmulas ambíguas[47]. Mas Vernant tem razão quando afirma que a ambiguidade da peça é mais profunda: afeta-lhe a estrutura e o discurso em múltiplos sentidos. Apenas a mais humilde paciência pode proteger do desespero o seu tradutor...

Quem se atreve ao empreendimento de uma tradução (literária) começa por um diálogo silencioso com o texto visado, tentando conquistá-lo para seu projeto; depois dessa conversação, arrisca-se à difícil viagem para o novo campo onde o quer situar. A passagem linguística é também um jogo com formas de pensamento e modos de ser, de que se tenta a aproximação. O jogo se passa no jogador... Que viaja para onde está. Tentei uma tradução brasileira de *Rei Édipo*. Com os movimentos, ritmos e timbres da língua que falamos — mas virada na direção de uma outra, bem diferente.

As edições oxonianas de textos clássicos são justamente famosas

---

[47] Hugh, 1872, cit. apud Vernant, 1972:101.

pelo seu apuro. Esta de H. Lloyd Jones e N. G. Wilson, do texto de *Oidípous Týrannos*, merece destaque entre as melhores. Dela me vali. Por seu intermédio, pode o leitor que tiver conhecimento do grego clássico desfrutar o contato mais ricamente próximo do texto original sofocliano que nos permitem as circunstâncias acidentadas da tradição.

❖

Rei Édipo

Personagens do Drama

ÉDIPO

SACERDOTE DE ZEUS

CREONTE

TIRÉSIAS

CORO DOS ANCIÃOS DE TEBAS

JOCASTA

MENSAGEIRO

LACAIO-MENSAGEIRO

SERVOS

Indicações suplementares
Assinalei com itálico os trechos líricos (o párodo e os estásimos). Indico também marcações básicas de entrada e saída em cena, de comparecimento de personagens secundários que não falam. Nas partes líricas, faço a separação de estrofes e antístrofes, assinalando-as.

A numeração dos versos corresponde ao original grego. Ela corresponde às unidades métricas (os versos) que, nas partes líricas e nos *kommoi*, não equivale necessariamente ao registro gráfico das linhas.

Nota do editor
Vide Glossário, a partir da página 121, de: I) Antropônimos e teônimos; II) Topônimos e monumentos; III) Termos técnicos da tragédia e outros. (N. do E.)

Prólogo

Tebas, pórtico do palácio de Édipo. Grupo de meninos sentados nos degraus do paço, próximo aos altares, com ramos de oliveira enlaçados com fitas de lã. De pé entre os moços, destaca-se um sacerdote de Zeus, um velho. Édipo entra pela porta central e fala, dirigindo-se ao sacerdote e referindo-se, também, aos jovens suplicantes:

ÉDIPO
Ó filhos meus, geração nova de Cadmo antigo!
Por que me quedais assim prostrados nestes paços,
Com esses ramos entrelaçados de súplica?
A urbe está carregada com fumos de incenso,
5   Cantos de reza, prantos, tudo junto.
Filhos, justo não achei a porta-vozes deixá-lo,
A outros, a incumbência: eu mesmo vim escutá-vos —
Eu, a quem todos aclamam — Édipo, o famigerado.
Mas fala, Velho! A ti compete, em verdade,
10   Por eles pronunciar-se: que diz tal disposição
De vosso anseio ou receio? De boa vontade, quero
Dar toda ajuda. Seria sem compaixão
Se não me fizesse pena ver-vos assim pelo chão.

SACERDOTE
Ó Édipo, soberano de minha terra!
15   Bem advertes a idade dos que tocamos
Teus altares: uns, que ainda não podem,

| | Sem pena, voar para longe; outros, de idade pesados.
| | Sou sacerdote de Zeus; eles são jovens seletos.
| | Está o resto do povo, com pios ramos em punho,
| 20 | Nas praças, perante os templos pares de Palas,
| | Ou junto à cinza premonitória de Ismeno.
| | A cidade, como tu mesmo percebes,
| | Já soçobra, que mal sustém a cabeça
| | À tona das profundezas da onda assassina:
| 25 | É infecta na floração dos frutos da terra sua,
| | Infecta nos pastos dos seus rebanhos de bois,
| | Nas suas mulheres sem parto. Divindade cremadora,
| | A mais inimiga, Peste,
| | Desola a morada de Cadmo
| 30 | E Hades negro enriquece de ais e choros.
| | Por certo, aos deuses não te igualamos, nem eu
| | Nem esses jovens de joelhos junto a teu fogo;
| | Mas o primeiro dos homens, nos lances comuns da vida
| | — E nos que vêm dos divinos — todos te consideramos.
| 35 | Aqui chegando, livraste a cidadela de Cadmo
| | De um duro tributo que à Cantadora pagava
| | E o fizeste sem ter instrução de nenhum de nós
| | Que avisado não foste; mas com a ajuda de um deus
| | — Pensa-se — endireitaste a sorte de nossa vida.
| 40 | Mas ora, ó cabeça de Édipo, ó entre todos potente,
| | Nós te imploramos aqui prostrados, e juntos,
| | Que um socorro nos aches, quiçá dos deuses
| | Ouvindo a voz — ou por instrução de homem.
| | De quem tem experiência, dos que aventuras viveram,
| 45 | Eu vejo renderem mais os conselhos dados.
| | Sim, ó melhor dos mortais: apruma-nos a cidade!
| | Ó previdente! Hoje esta terra te aclama
| | Seu salvador, pelo belo zelo de outrora.
| | Não queiras ter o teu governo lembrado
| 50 | Como de nosso erguimento, primeiro — e pronto, de
| | [nossa queda;
| | Mas firma-nos em seu prumo a urbe cambaleante.
| | Com pássaros bons de agouro apareceste outrora
| | Rico de boaventura; pois te faze igual agora!
| | Se tu hás de governar, soberano nesta terra,
| 55 | Melhor é com homens nela do que deserta regê-la.

Uma urbe vazia é nada, tal como nada é navio
Ermo de gente, sem tripulação nenhuma.

ÉDIPO

Ó pobres filhos, sabido, não insabido
Anseio vindes aqui me expor, que bem conheço:
60 Percebo que padeceis, tal como também padeço —
Não há de todos nenhum que sofra tanto como eu.
A pena de cada qual é dor de uma só pessoa
E nada mais do que a sua. No entanto, o espírito meu
Sofre por toda a Cidade: sofre minha dor e a tua.
65 Não vieste acordar um adormecido. Sabei
Que lágrimas copiosas por isso tenho chorado,
Vagando com o pensamento errante por várias trilhas.
O remédio só que achei, tendo muito imaginado,
Já fiz providenciar: o filho de Meneceu,
70 Creonte, cunhado meu, tratei de enviar à Pítia
Morada de Febo, a indagar-lhe em consulta
Que farei ou falarei para a salvação da Cidade.
Hoje, de mim para mim, medindo a conta do tempo,
Preocupo-me com ele — pois o tanto da demora
75 De sua ausência já muito me passa do natural.
Ruim eu fora, se o que me pedem então
Eu deixasse de fazer, conforme o que o deus mostrar.

[*Creonte aproxima-se e faz sua entrada pela esquerda.*]

SACERDOTE

Em boa hora falaste! Neste preciso momento,
Sinal me fazem os moços de que nos chega Creonte.

ÉDIPO

80 Ó Apolo soberano! Com alvíssara há de vir
De salvação para nós — pois mostra rosto radiante.

SACERDOTE

Grato me parece mesmo, que senão sua cabeça
Não teria coroado desse louro florescente.

ÉDIPO
    Já saberemos. A alcance da voz nos chega.
85   Príncipe, irmão de aliança, ó filho de Meneceu,
    Que resposta nos trazes do deus?

[*Creonte toma a palavra, voltando-se para Édipo, com quem dialoga.*]

CREONTE
    Auspiciosa! Pois digo que se acaso o desacerto
    Vira de volta para o certo, acaba tudo em ventura.

ÉDIPO
    Mas a sentença qual foi? Pois não me traz esperança
90   — Embora não dê receio — a resposta que me deste.

CREONTE
    Se tu quiseres ouvir-me na presença desta gente,
    Estou disposto a falar; se preferes, entraremos.

ÉDIPO
    Na frente de todos fala, porque tenho mais em conta
    Sua dor que a de minh'alma.

CREONTE
95   Direi, então, o que ouvi da parte do deus.
    Febo, o puro soberano, em termos claros nos manda
    A imundície de Tebas, criada por este chão,
    Extirpar, que ela não cresça ao ponto do sem remédio.

ÉDIPO
    Com que purga a purgaremos? Qual o tipo da mofina?

CREONTE
100   Com expulsão — ou morte por morte antiga
    Dando em paga: sangue é que a urbe perturba.

ÉDIPO
    E de que homem, assim, o santo revela a sina?

CREONTE
>Regedor deste país, ó soberano, era Laio
>Antes que tu nos viesses a pilotar a Cidade...

ÉDIPO
105 É o que sei por ouvir — porque nunca o vi eu mesmo.

CREONTE
>Ele está morto. Mas hoje, manda-nos deus, com clareza,
>Vingá-lo nos assassinos — quem quer que sejam.

ÉDIPO
>Onde no mundo estarão? Onde se irá encontrar
>O rastro incerto dessa culpa tão antiga?

CREONTE
110 Neste país — disse o deus. O que se busca, se acha;
>O que é descurado escapa.

ÉDIPO
>Foi em casa, foi no campo, nesta terra, numa outra...
>Onde foi que caiu Laio, vítima do assassinato?

CREONTE
>Para ver o orago — ele disse —, um dia deixou a pátria;
115 E, desde que assim partiu, nunca mais voltou para casa.

ÉDIPO
>Mas não houve mensageiro, pessoa da comitiva
>Que visse o acontecido, de quem algo se apurasse?

CREONTE
>Morreram todos, menos um, que fugiu apavorado;
>E este, do que ele viu, pôde contar quase nada...

ÉDIPO
120 O que contou? De uma coisa, muitas se pode tirar,
>Se der, por pouco que seja, um princípio de esperança.

CREONTE
>Disse o tal que, por azar, Laio deparou bandidos:
>Não o matou força de um; foi morto por mão de muitos.

ÉDIPO
>Que bandido, senão por prata comprado
>E por trato feito aqui, pudera atrever-se a tanto?

CREONTE
125 Foi o que a gente pensou; mas, tendo
>[Laio morrido,
>Nós em nossas aflições não achamos defensor.

ÉDIPO
>E que desgraça tão grande, se caiu a majestade,
>Assim os pôde impedir de esclarecer este caso?

CREONTE
130 A Esfinge reviraversos, que nos fez voltar do rumo
>Da busca do duvidoso, mirar o perigo ao pé.

ÉDIPO
>Pois hei de reabrir o caso — e esclarecê-lo.
>Febo e tu, em seguida, o mérito já tendes
>Da volta do cuidado pela causa do morto.
135 Em mim, como é justiça, tereis um aliado
>Na questão que é da terra de Tebas, e do deus.
>Não será no interesse de distantes amigos
>Mas no meu, por mim mesmo, que expulsarei a praga.
>O assassino de Laio, quem quer que seja ele,
140 Pode um dia querer com sua mão ferir-me.
>No que puno por Laio, de mim cuido.
>Agora, filhos, desses degraus erguei-vos,
>Levando embora os ramos suplicantes.
>Um outro reúna aqui o povo de Cadmo.
145 Hei de tudo tentar; na certa venceremos
>Com o auxílio do deus — senão, pereceremos.

[*Édipo retira-se com Creonte, rumo ao palácio.*]

SACERDOTE [*Voltando-se para as crianças.*]
    Vamos já nos erguer, ó filhos, os favores
    Que viemos pedir nos foram garantidos.
    Febo, que nos mandaste estes oráculos,
150   Vem a nós, Salvador, debela a peste!

[*O sacerdote e as crianças se retiram. Entra o coro dos anciãos.*]

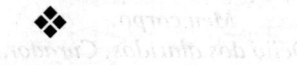

❖

Párodo

PRIMEIRA ESTROFE

>   *Grata de ouvir, ó palavra de Zeus*
>   *De Delfos, a dourada,*
>   *Como vens à gloriosa*
>   *Tebas? Tem-me tenso o temor*
>   *E palpita*
>   *Meu corpo.*
>   *Délio dos alaridos, Curador,*
> 155 *Cuido em ti, e estremeço: que obrigação*
>   *A repetir todo ano, uma nova*
>   *Ou antiga, será tua exigência?*
>   *Diz-me, dourada filha da esperança,*
>   *Voz imortal!*

PRIMEIRA ANTÍSTROFE

>   *Primeira nesta prece, filha de Zeus, te invoco,*
>   *Atena eterna;*
> 160 *E a dona da terra, tua irmã*
>   *Ártemis, que no trono da praça redonda*
>   *Se assenta gloriosa;*
>   *E Febo, o que fere de longe, imploro:*
>   *Que venham a mim os três protetores!*
>   *Se antes, alguma vez, a Cidade*
> 165   *Ameaçada por desgraças*
>   *Livrastes, apartando o fogo do flagelo,*
>   *Livrai também agora.*

SEGUNDA ESTROFE

>   *Ó deuses, sofro males sem número!*
>   *Toda a minha tropa enferma,*
>   *E não tenho na ideia adaga*
> 170 *Que corte o mal.*
>   *Nem frutos brotam*
>   *Da terra ilustre, nem filhos*

Dos trabalhos gementes obtêm as mulheres.
Um depois do outro, vê-se precipitar
175 *meu povo, como pássaros de penas,*
Mais rápido que fogo infatigável,
Nas ribas do deus do ocaso.

SEGUNDA ANTÍSTROFE

Morre a cidade nos mortos inúmeros.
180 *Crianças não choradas no chão*
Sem luto piedoso jazem mortíferas.
Esposas, mães grisalhas,
Muitas, de muitos cantos, vêm às aras,
185 *Choram míseras mágoas e suplicam;*
E lampeja o péano, e consoam soluços.
Manda-lhes, filha dourada de Zeus,
O belo rosto de teu socorro.

TERCEIRA ESTROFE

Ares, o violento, que hoje
190 *Me assalta sem o escudo de bronze*
Num alarido agressor em fogo,
Rápido recue de minha pátria
Banido para o grande
195 *Tálamo de Anfitrite*
Ou rumo às inóspitas praias
Das ondas trácias.
Se a noite o adia, o caso
Cabe acabar ao dia —
200 *Ó Zeus Pai, dominador*
Dos flamejantes coriscos,
Com o raio fulmina-o!

TERCEIRA ANTÍSTROFE

Senhor da Lícia, também
Tomara do teu arco de ouro
205 *Venham as flechas indomáveis*
Em meu socorro, e as fogosas

>   *Tochas com que Ártemis salta*
>   *Quando corre nos montes lícios.*
>   *Suplico também o da mitra de ouro*
> 210   *Epônimo desta terra,*
>   *Évio Baco das faces de vinho,*
>   *Guia das Mênades:*
>   *Que venha com o rosto iluminado*
>   *Por tocha de fogo, atacar*
> 215   *O deus que entre os deuses não se honra.*

❖

Primeiro Episódio

[*Édipo sai do palácio e se dirige ao Coro.*]

ÉDIPO

    Assim rogais — e eu, que escuto vosso rogo,
    Digo que me acateis, obedecendo à peste:
    Assim tereis alívio das mazelas.
    Falarei como estranho ao que se diz
220   E ao fato tratado: não vou longe
    Por mim mesmo, se indício não tiver.
    Sendo, pois, cidadão recente desta urbe,
    Lanço proclamação a todos os cadmeus:
    Se qualquer um de vós sabe Laio Labdácida
225   Por obra de que homem pereceu,
    Pronto lhe ordeno denunciar-me tudo —
    Té se teme que a culpa se revele
    Como sua. Garanto: sem vexame
    E em segurança, há de partir daqui;
230   E se sabe ser outro, ou de outra terra
    O assassino, não cale; pois o prêmio
    Eu lhe darei, e a minha gratidão.
    Mas se emudecer, se alguém
    Repele meu apelo, receoso por outro,
235   Ou por si mesmo, saiba o que farei:
    A esse — quem quer que seja — interdito na terra
    Onde tenho o mando e ocupo o trono:
    Proíbo que o receba ou lhe fale qualquer;
    Proíbo que o incluam nas preces e oferendas

240	E lhe ofereçam água lustral para ablução.
	Para fora das casas lançai-o, como
	Poluição de nós todos: isso mesmo o divino
	Oráculo da Pítia, faz pouco, revelou-me.
	Assim, quero eu, agora, à divindade
245	E ao homem morto, válido aliar-me.
	Voto quem esta morte fez, quer tenha sido
	Um só, às escondidas, ou com muitos,
	A roer-se o ruim de uma vida sem graça.
	Se eu mesmo, em minha casa, à beira do meu fogo
250	Aceitar-lhe o convívio, consciente,
	Em mim recaia o mal das pragas que roguei.
	Tudo isso encomendo que façais
	Por mim, e pelo deus, e pela terra
	Que estéril no desdém do divino perece.
255	Mesmo sem terdes o ditame de um deus,
	Lícito não vos era tolerar a impureza
	Da morte de um varão, de um excelente rei,
	Mas a fundo inquirir; eu agora o sucedo
	E tenho não somente o poder que foi seu,
260	Como a cama e a mulher que ambos inseminamos,
	A qual filhos comuns aos dois, se a raça dele
	Malograda não fosse, era de ter parido.
	Mas a sina saltou-lhe à cabeça de Laio.
	De agora em diante, como por meu pai,
265	Eu lutarei por ele, com todos os recursos,
	Zeloso na procura do autor do assassinato
	Desse filho de Lábdaco, fruto de Polidoro
	E de Cadmo antigo, e do prisco Agenor.
	A quem não me atender, aos deuses rogo,
270	Da terra nunca mais lhe brotem messes,
	Nem filhos de mulheres: da má morte de agora,
	Ou de sorte pior, há de morrer;
	Mas a todos os outros cadmeus — a vós todos
	Prontos a obedecer-me, que vos assistam Justiça
275	Aliada nas lutas, e os deuses, para sempre!

CORIFEU

    Ó rei, como me impões tua imprecação, respondo:
    Essa morte não fiz, e o matador não posso

Mostrar. Mas tal demanda era do mandador:
A Febo competia dizer quem fez o crime.

ÉDIPO
280   Falas certo... Porém os deuses não se força
Àquilo que não querem — não há homem que o possa.

CORIFEU
Quisera dar ainda uma outra opinião.

ÉDIPO
E mais outra, se tens, não deixes de contar-me.

CORIFEU
Sei que vidente, à luz do soberano
285   Febo, é Tirésias soberano: a ele
Se recorrendo, se veria o vero.

ÉDIPO
Não deixei de fazer, fiz isso mesmo:
Como Creonte propôs, mandei buscá-lo
Dois homens. Pelo tempo, era para ter chegado.

CORIFEU
290   Ainda outra coisa... São boatos velhos...

ÉDIPO
Falam o quê? Tudo que é dito, estudo.

CORIFEU
Que ao morto o acabaram viajantes.

ÉDIPO
Também o ouvi dizer — mas, quem viu, ninguém vê.

CORIFEU
Porém, se o matador é passível de medo,
295   Ouvindo tua praga, não há de se aguentar.

ÉDIPO

    A quem o ato não custa, a fala não assusta.

CORIFEU

    Mas será confundido — pois agora
    Conduzem para aqui o divino adivinho,
    O único dos homens em quem a verdade é viva.

[*Entra Tirésias, guiado por uma criança e acompanhado por dois servos. Fala Édipo, voltando-se para ele.*]

ÉDIPO

300   Tirésias que tudo divisas, tanto o que pode ensinar-se
    Como o indizível, seja do céu ou da terra!
    Ainda que não enxergues, percebes esta Cidade
    Por que mal é assolada. Contra ele só achamos
    Um amparo e salvador: só tu mesmo, ó soberano.
305   Sabe, pois — se o não soubeste dos mensageiros —,
                                  [que Febo,
    A quem fizemos consulta, em resposta nos mandou
    Somente uma solução para livrar-nos da peste:
    Descobrir os matadores de Laio; depois, então,
    Matá-los, segundo é justo — ou expulsá-los da terra.
310   Com ciúme não nos prives de agouro que venha de aves
    Ou de outra via adivinha — se, por acaso, a tiveres.
    Salva, a ti e a Cidade, e salva também a mim,
    Esconjurando o funesto que nos polui do finado.
    Estamos em tuas mãos. Para um homem, não há mais nobre
315   Coisa que ajudar os outros, na medida do que pode.

TIRÉSIAS

    Ai! ai! Como é terrível o saber que não serve
    A quem sabe! E eu, que bem o vejo, todavia
    Danei-me essa visão — ou aqui não viria.

ÉDIPO

    Que há? Por que agora a vinda te esmorece?!

TIRÉSIAS
320 Manda-me para casa! Assim mais leve
Te será tua sorte — e a que me toca.

ÉDIPO
É anormal o que dizes, sem amor à Cidade
Que te criou: negar-lhe profecia!

TIRÉSIAS
Ora te vejo a ti que não proferes nada
325 Oportuno — e receio sofrer do mesmo mal...

ÉDIPO
Pelos deuses, não vás, se alguma coisa sabes,
Dar as costas a nós, a teus pés suplicantes!

TIRÉSIAS
Mas é que ignoras... Não queiras que eu revele
Meu mal... Para não dizer: o teu.

ÉDIPO
330 Que dizes? Ciente calas? Não percebes
Que assim nos atraiçoas e perdes nossa urbe?

TIRÉSIAS
Não quero magoar-te, nem a mim... Por que, então,
Me interpelas? De mim, não hás de saber nada.

ÉDIPO
Ó pior dos perversos! — Pois até um rochedo
335 Tu enfurecerias! — Hás de silenciar,
Permanecendo assim, obstinado e duro?

TIRÉSIAS
Tu me acusas a fúria, e a fúria não vês
Que em ti se avoluma — é a mim que censuras!

ÉDIPO
Mas quem com essas palavras não se encolerizara,
340 A ouvir como tu nos desprezas a urbe?

TIRÉSIAS
O que há de vir, virá — mesmo se o calo e cubro.

ÉDIPO
Deves, por isso mesmo, dizer-me o que virá.

TIRÉSIAS
Não falarei mais nada. Se quiseres,
Podes abrir o peito à fúria mais feroz.

ÉDIPO
345 Pois bem! No meu furor, eu nada esconderei
Do que percebo: sabe que, a meu ver,
Concebeste o crime e o cometeste, embora
Não com as próprias mãos; se enxergasses,
Eu diria que foste o seu único autor.

TIRÉSIAS
350 É mesmo? Pois te ordeno obedecer ao édito
Que há pouco proclamaste — e, de hoje em diante,
Não mais falar comigo, nem com estes à volta:
Pois és tu o impuro empestador da terra.

ÉDIPO
És pois tão descarado que me atiras a injúria!
355 E onde pensas que vais, depois, achar refúgio?

TIRÉSIAS
Já sou inatingível, com a força da verdade.

ÉDIPO
E isso, quem te ensinou? A arte é que não foi.

TIRÉSIAS
Foste tu, ao fazer-me falar contra a vontade.

ÉDIPO
O que, então? Repete, para que eu melhor o aprenda!

TIRÉSIAS
360   Já antes não pegaste? Ou me intentas um teste?

ÉDIPO
      Não foi claro o bastante, que eu declare. Repete!

TIRÉSIAS
      Eu digo que és tu mesmo o matador a quem buscas.

ÉDIPO
      Impune, não dirás duas vezes esse horror!

TIRÉSIAS
      E devo falar mais, para aumentar teu furor?

ÉDIPO
365   Pois fala o que quiseres: de nada servirá!

TIRÉSIAS
      Direi: com os mais íntimos vives, insciente,
      União vergonhosa — e não vês como és vil.

ÉDIPO
      Julgas que hás de falar assim sem que te doa?

TIRÉSIAS
      Sim, se a verdade alguma força tem.

ÉDIPO
370   Tem, sim, mas não contigo! Não para ti, que és
      Cego de entendimento, de olhos e de ouvidos.

TIRÉSIAS
      E tu, ó desgraçado, tu me insultas do jeito
      Como, em breve, por todos, hás de ser insultado!

ÉDIPO
      Vives dentro da noite; nem a mim, nem a outro
375   Homem que a luz enxergue jamais atingirás.

TIRÉSIAS
>Não, não é tua sina por mim ser derrubado!
>Apolo tem poder para tudo te cobrar.

ÉDIPO
>A tramoia, afinal, foi tua ou de Creonte?

TIRÉSIAS
>Quem te arruína não é Creonte: és só tu mesmo.

ÉDIPO
380 >Ó fortuna! Ó poder! Ó talento aos talentos
>Superior, numa vida invejável...
>Como é grande o ciúme que os ronda de tocaia!
>Por causa do governo, que a Cidade
>Nas mãos me pôs, sem que o pedisse eu,
385 >O Creonte leal, meu amigo de sempre,
>Sorrateiro, às ocultas pretende derrubar-me!
>Subornou este mago maquinador de intrigas,
>Charlatão embusteiro, que somente para lucros
>Tem os olhos acesos, pois é cego na arte!
390 >Diz-me, pois: quando foste verídico adivinho?
>Por que, quando a Cadela Cantora aqui andou,
>Não disseste ao povo palavra de salvar?
>O enigma não era de jeito que qualquer
>Passante o decifrasse: era coisa de arte
395 >Mântica que mostraste, na altura, nem das aves
>Nem dos deuses saber — mas eu, recém-chegado,
>Eu, Édipo insciente de tudo, eu a calei,
>Com a inteligência minha, sem aviso das aves;
>É quem agora queres derrubar, porque ao trono
400 >Já te vês achegado, à beira de Creonte!
>Mas acho que tu hás de chorar com teu cúmplice
>O zelo dessa purga. Se eu não te visse velho,
>Havias de provar o que intentas para mim.

CORIFEU
>Nós ponderamos que as palavras suas
405 >Com ira foram ditas, ó Édipo — e as tuas.
>Disso não carecemos, mas do melhor conselho

Sobre a revelação do deus: é o que hás de ver.

TIRÉSIAS
Um príncipe tu és, mas de igual para igual
Cabe-me replicar-te, com a mesma autoridade.
410 Sirvo Loxias, não sou servo teu;
Tampouco sou cliente de Creonte.
Eu digo, já que tu me escarneces por cego,
Que, embora tendo a vista, não vês tua desgraça,
Não notas onde moras, nem com quem.
415 Sabes de quem procedes? Inimigo inconsciente
És dos teus, tanto em cima como embaixo da terra!
Praga de pai e mãe, praga de açoite duplo
E de pés de terror, te enxotará daqui,
Com a escuridão na vista que agora vê bem.
420 Por teus gritos, que praia não ressoará!
Que Citerão remoto deixará de ecoar
Quando Édipo souber que inabordável boda
Nesta Casa o atracou, após feliz viagem!
No entanto não percebes a multidão de males
425 Sob cujo vexame com os filhos te nivelas.
Anda, agora enlameia Creonte e minha boca!
Não há mortal nenhum mais infame que tu
E moído de modo mais cruel.

ÉDIPO
Quem pode tolerar o que ele diz?
430 Por que não vai danar-se bem depressa?
Por que não dá as costas e toca desta casa?

TIRÉSIAS
Se tu não me chamasses, eu nem teria vindo.

ÉDIPO
Soubesse eu que tu só dirias loucuras,
Não perderia tempo à tua procura.

TIRÉSIAS
435 Portanto, para ti temos jeito de louco...
Mas teus pais nos julgavam com ótimo juízo.

ÉDIPO
>Quem? Espera! Que mortais deram-me vida?

TIRÉSIAS
>Este dia vai dar-te o nascimento e a morte.

ÉDIPO
>Tudo que falas é obscuro, enigmático!

TIRÉSIAS
>440 Ora, não és tu mesmo o bom decifrador?

ÉDIPO
>Ah, e tu me escarneces no que me faz maior!

TIRÉSIAS
>Essa mesma fortuna grandiosa te arruinou.

ÉDIPO
>Não importa, se assim eu salvei a Cidade.

TIRÉSIAS
>Arre, já vou embora. Vem, menino, guia-me!

ÉDIPO
>445 Sim, leva-o! Pois aqui, Tirésias, tu molestas;
>Partindo, no entanto, não me vexas.

TIRÉSIAS
>De partida, direi a que vim — pois de fato
>Não temo teu sobrolho: mal não me faz, a mim.
>Digo-te, pois: o homem a quem buscas
>450 Com toques e proclamas sobre o assassinato
>De Laio está aqui mesmo:
>Tem nome de estrangeiro, mas nativo
>Tebano vai mostrar-se — e não se alegrará
>Por esta circunstância: cego, depois de são
>455 Dos olhos, e mendigo, depois de afortunado,
>Irá por terra estranha tateando com um bastão.
>A todo o mundo vai, a uma vez, revelar-se,

>   Irmão e pai daqueles que gerou,
>   Marido da mulher de que é filho, e do pai
> 460   Sócio no dar semente de si — e matador.
>   Pensa nisso; e depois, se em mentira me pegas,
>   Fala que nada sei das artes de adivinho!

[*Tirésias se retira. Édipo volta ao palácio.*]

❖

Primeiro Estásimo

PRIMEIRA ESTROFE

	Quem é que a fatídica
	Rocha de Delfos indica
465	*Assim, que o nefando além do nefando*
	Ultrapassa com as mãos assassinas?
	Nessa hora, mais rápidos que as éguas dos ventos
	Têm seus pés de mover-se na fuga:
	Eis contra ele projeta-se, armado
470	*De raios e chamas, o filho de Zeus*
	E junto lhe seguem os traços
	As Keres sem falha na caça.

PRIMEIRA ANTÍSTROFE

	Num lampejo, no monte nivoso,
	Há pouco se mostrou
475	*A voz do Parnaso, que todos atiça*
	Na busca do homem oculto.
	Já vai, errante na agrura
	Da serra, por lajes e furnas,
	O touro grutesco,
	Mísero, o mísero pé de perdido
	Em busca das predições que fluem
480	*Do umbigo da Terra — mas elas,*
	Para sempre vivas, o sobrevoam.

SEGUNDA ESTROFE

	Assombroso, me abala com sustos
	O vate vidente das aves de agouro:
	Não creio nem desacredito: em apuros
485	*Não sei o que digo;*
	Oscilo flutuando no meu receio
	Sem ver adiante, sem ver para trás.
	Haveria, a opô-los,
	Entre a raça de Lábdaco
490	*E o filho de Pólibo,*

>   *Um quê de querela?*
>   *Nem no passado*
>   *Nem hoje, que eu saiba;*
>   *Tampouco tive*
>   *Prova capaz de*
> 495 *Me opor à fama*
>   *Bem firme de Édipo, e, ao lado labdácida,*
>   *Me pôr contra ele, por crimes incertos.*

SEGUNDA ANTÍSTROFE

>   *Zeus e Apolo, por oniscientes,*
>   *As sinas discernem de todo mortal;*
>   *Mas cá entre os homens, algum adivinho*
> 500 *Qualquer coisa tem mais do que eu?*
>   *Não há verdadeira confirmação.*
>   *No que é de saberes, em conhecimento,*
>   *Um homem aos outros excede;*
>   *Nunca antes que o tenha, porém,*
> 505 *Eu verificado, irei acatar*
>   *A palavra dos acusadores.*
>   *Pois vejo que quando*
>   *A alada donzela*
>   *Lhe foi ao confronto, uma prova ele deu*
> 510 *De sábio, de bom para a urbe. Portanto,*
>   *Nunca há de meu peito um crime imputar-lhe.*

❖

Segundo Episódio

[*Entra Creonte pela direita.*]

CREONTE
Ó Cidadãos, ó homens! Como ouvi que em medonhos
Termos me acusa Édipo, meu rei,
Cá vim, que não me aguento: se na situação
Presente julga ele sofrer por minha causa
Injúria de palavras ou atos — se é assim,
Não tenho mais desejos de uma vida comprida
Para levar esta fama. Não é uma coisa à toa
520 A pena, para mim, de sofrer essas falas;
Muito grave será, se infame na Cidade
Eu me ouço chamar por vós, por meus amigos.

CORIFEU
Essa injúria parece que lhe saiu da boca
À força mais de raiva que de raciocínio.

CREONTE
525 Claramente afirmou que pelo meu conselho
O adivinho lhe disse palavras mentirosas?

CORIFEU
Ele o disse em voz alta — eu não sei com que senso.

CREONTE
Com firmeza no olhar e no ânimo, então,
Proferiu contra mim a tal acusação?

67

CORIFEU
530 Não sei. Eu não reparo nos atos de meus amos.
(Mas lá vem ele mesmo saindo do palácio.)

[*Édipo sai do palácio e se aproxima de Creonte.*]

ÉDIPO
Tu, que fazes aí? Será que tens tamanha
Ousadia de vir à minha casa,
Confirmado homicida do homem que te fala,
535 Assaltante que o trono me cobiças?
Pelos deuses, me diz: tolice ou covardia —
Que foi que viste em mim, para intentar-me atentado?
Incapaz me julgaste de te ver o apronto
Rastejante de treita — e te dar o rechaço?
540 Não será tua manobra que é tola, de caçar,
Sem apoio de ouro e amigos, realeza
Que somente se toma com séquito e riqueza?

CREONTE
Sabes que é de fazer? A quem falaste,
Ouvir, para julgar de acordo com a resposta.

ÉDIPO
545 Oh, sim! Tu falas bem... Mas eu te escuto mal,
Porque te sei ingrato, e não suporto mais.

CREONTE
Quanto a isso, escuta o que tenho a dizer.

ÉDIPO
Quanto a isso, não queiras negar-me que não prestas.

CREONTE
Se atribuis valor a insolência vazia
550 De espírito, não pensas muito bem.

ÉDIPO
Se tu crês que um homem nocivo a seu parente
Não padece castigo, não pensas muito bem.

CREONTE
>Neste ponto, concordo. Mas, agora,
>Explica-me que mal dizes sofrer de mim.

ÉDIPO
555 Tu me persuadiste, ou não, de que devia
Mandar alguém à busca do augusto adivinho?

CREONTE
>Sim. E ainda mantenho o parecer que dei.

ÉDIPO
>E quanto tempo faz desde que Laio...

CREONTE
>... Teria feito o quê? Já não te entendo.

ÉDIPO
560 ... É desaparecido, por obra de matança?

CREONTE
>Desde então se contaram muitos e longos anos.

ÉDIPO
>Já então o adivinho exerce o ofício?

CREONTE
>Com o mesmo saber, com o mesmo prestígio.

ÉDIPO
>E referiu-se a mim naquela ocasião?

CREONTE
>Em minha presença, pelo menos, não.

ÉDIPO
>Não abriste inquérito acerca dessa morte?

CREONTE
>Sim, como não? E nada descobrimos.

ÉDIPO
>Por que então esse sábio não disse o que hoje fala?

CREONTE
>Não sei. Do que não faço ideia, nada digo.

ÉDIPO
570 O que sabes, dirás sem negar, se tens juízo...

CREONTE
>O quê? Se eu o souber, não vou mesmo negá-lo...

ÉDIPO
>Que sem tratar contigo, jamais ele diria
>Ser eu o causador da ruína de Laio.

CREONTE
>Se ele o disse, tu sabes; mas agora
575 Cumpre que eu te interrogue, como fizeste a mim.

ÉDIPO
>Interroga: não vais revelar-me assassino!

CREONTE
>Diz-me: não desposaste minha irmã?

ÉDIPO
>Isso que me perguntas é impossível negar.

CREONTE
>No reger esta terra, parte igual não lhe dás?

ÉDIPO
580 Tudo quanto deseja, ela alcança de mim.

CREONTE
>Não vos sou um terceiro, aos dois igual?

ÉDIPO
>Nisso mesmo te revelaste amigo mau.

CREONTE
          Não, se pensando, pões-te em meu lugar!
          Primeiro, considera se acreditas que alguém
585   Antes preferiria reinar em sobressalto
          Que, com valia igual, dormir em paz!
          Eu não nasci assim, com mais gana de ser
          Um rei, do que gozar das regalias; pensa
          Como eu qualquer pessoa ajuizada.
590   Sem receios, agora, tudo de ti alcanço;
          Reinando, muita coisa faria a contragosto.
          Como, para mim, teria mais gosto a realeza
          Se gozo, sem fadiga, poder e autoridade?
          Tão doido não estou de querer mais
595   Honras que as desfrutáveis com vantagem.
          Hoje, dou-me com todos, e todos me festejam;
          Hoje, chama por mim quem precisa de ti
          — E minha intercessão sucesso lhes garante.
          Como iria buscar o que isso me tirasse?
600   Não se perverte a mente que tem um bom pensar.
          Amante nunca fui dessa ideia — portanto,
          Com quem a praticasse, não poderia estar.
          Se uma prova quiseres, vai à Pítia
          Saber se fui fiel na transmissão do oráculo.
605   Caso proves, depois, que conspirei com o vate,
          Isso visto, com um voto somente não me mates
          Mas com dois, por sentença: o teu, e mais o meu.
          Sem prova não me inculpes, todavia.
          Justo não é, à toa,
610   Ter os ruins por bons, e os bons como ruins.
          Repelir nobre amigo, isto equivale
          A descartar a vida: o bem mais caro.
          Mas com certeza só o tempo o ensina,
          Que só com o tempo se revela o justo —
615   O ruim, se conhece num só dia.

CORIFEU
          O homem sem preconceito dirá que ele falou
          Certo, Senhor. No juízo, quem se apressa tropeça.

ÉDIPO

>Se um traidor velado, ligeiro, contra mim
>Avança, devo eu deliberar ligeiro.
>620 Se demoro quieto, então meu golpe
>Falho será — e o dele, bem certeiro.

CREONTE

>O que é que tu pretendes? Banir-me desta terra?

ÉDIPO

>Quero mais: que pereças, não que te vás expulso.

CREONTE

>Mostra primeiro por que me detestas.

ÉDIPO

>625 Não me atendes, rebelde? Não me acatas?

CREONTE

>É que não pensas bem. (*Édipo:*) Penso em meu próprio bem.
>(*Creonte:*) Pensa no meu, também. (*Édipo:*) Mas és ruim!
>(*Creonte:*) E se nada percebes? (*Édipo:*) Obedecer te cabe, ainda assim.
>(*Creonte:*) Não, se o comando é mau. (*Édipo:*) Ó cidade, ó cidade!
>630 (*Creonte:*) Também sou cidadão, não só tu.

CORIFEU

>Ó príncipes, já chega! Em boa hora para os dois,
>Vejo que vem saindo Jocasta do palácio.
>Convém que ela intervenha e vos finde a querela.

[*Jocasta entra em cena e se interpõe entre Édipo e Creonte.*]

JOCASTA

>Por que, ó infelizes, travais insana luta
>635 De línguas, não corando, com a peste na pátria,
>De incrementar pragas particulares?
>Entra, Édipo! Creonte, vai para casa!
>Não me façais de um nada uma pena danada.

CREONTE

    Ai, mana, é teu marido, Édipo, a quem parece
640   Justo aqui me danar, e entre duas desditas
    Decidir: se me bane da pátria ou me dá morte!

ÉDIPO

    Pois sim: porque o peguei, ó mulher, preparando
    Perverso plano contra a minha vida.

CREONTE

    Que eu me desgrace e morra, por minha própria jura,
645   Se fiz alguma coisa do que ora me acusas!

JOCASTA

    Oh, em nome dos deuses, tende respeito a este
    Juramento — primeiro, aos deuses acatando,
    Édipo! E a mim, depois, e ao povo aqui postado!

CORO

    Rogo, cede à que pede, ó rei
650   E ao bom senso!

ÉDIPO

    Ao rogo teu, o que concederei?

CORO

    A quem antes não era incapaz de argumento
    E tem agora ajuda de grande jura, atende!

ÉDIPO

    Mas sabes o que pretendes? (*Corifeu:*) Sei. (*Édipo:*) Diz o que
    [queres.

CORO
656   Não afrontes com acusação um parente
    Sem causa manifesta.

ÉDIPO

    Pois fica certo de que se o reclamas
    Queres a minha morte ou meu exílio.

CORO

660   Não, pelo deus que os deuses antecede,
      Por Hélio! Morra eu sem deus e sem amigo
      No pior dos fins, se tenho esta ideia comigo!
665   Em desgraça me esgarça a alma a terra gasta
      E acumulam-me, os dois, mais males com os antigos!

ÉDIPO

      Pois então, que esse parta — inda que eu morra
670   Ou venha a ser, por força, desonrado e banido.
      Não dele, mas de tua boca aflita
      Tenho dó. Ele, por onde for, leva meu ódio.

CREONTE

      É evidente que cede com ira que adiante
      Vai-lhe pesar, passada; naturezas assim
675   A si mesmas torturam, justiçando.

ÉDIPO

      Então, não vais embora, não me deixas? (*Creonte:*) Irei;
      Mas se me desconheces, para eles, sigo o mesmo.

CORO

      Mulher, por que não o levas já para casa?

JOCASTA
680   Quero saber o que houve.

CORO

      Cismas de incertos ditos; mas também
      O infundado fere.

JOCASTA

      Foi recíproco? (*Corifeu:*) Sim. (*Jocasta:*) E a questão, qual foi?

CORO
685   Basta! Basta para mim — pois me importa o país —,
      Este assunto deixar onde parou!

ÉDIPO
>Tu vês o que fizeste, homem de boa-fé,
>Detendo-me e embargando minha gana?

CORO
>690 Senhor, mais de uma vez eu declarei:
>Sabe tu que um demente, sem sombra de juízo,
>Eu me revelaria, se de ti me apartasse:
>Pois quando a minha pátria em mágoas afundava,
>695 Foste tu quem a mareou para salvar.
>Hoje, um bom timoneiro sê outra vez, se podes!

JOCASTA
>Pelos deuses me diz, soberano: o que foi
>Que cólera tamanha te causou?

ÉDIPO
>700 Direi, pois considero mais a ti do que a todos:
>As coisas que Creonte contra mim intentou.

JOCASTA
>Se tens a queixa clara, diz a intriga.

ÉDIPO
>Diz ele que fui eu o matador de Laio.

JOCASTA
>Por prova que teria, ou de outros informado?

ÉDIPO
>705 Subornou um adivinho, um malfeitor, e, assim,
>Guardou a própria boca muito bem.

JOCASTA
>Absolve-te, então, das coisas de que falas
>E, me escutando, aprende que não há
>Um mortal que conheça a arte de adivinhar.
>710 Disso vou dar a prova cabal e manifesta.
>Um oráculo foi dado a Laio, certa vez,
>Por Febo não direi, mas por seus servidores:

75

                    Seria sua sorte morrer às mãos do filho
                    Que viesse a nascer de mim e dele.
715   A Laio — é voz corrente — mataram estrangeiros
                    Bandidos, numa encruzilhada trívia.
                    O menino, três dias não tinha de nascido
                    Quando o pai o amarrou pelas juntas dos pés
                    E o lançou, por alheias mãos, em terra erma.
720   Assim Apolo não o pôde fazer
                    O matador do pai, nem a Laio lhe impor
                    O horrendo que temia: morrer às mãos do filho —
                    E era isso o que as vozes proféticas ditavam.
                    Não ligues, pois, a elas; que se acaso um deus quer
725   Uma coisa, bem pode por si manifestá-la.

ÉDIPO

Ai, mulher! Como agora te ouvindo, de repente
Minha alma varia, meu coração desanda!

JOCASTA

Que aflição te transtorna, para falares assim?

ÉDIPO

Penso ter escutado dizeres tu que Laio
730   Foi morto numa encruzilhada trívia.

JOCASTA

É isso o que foi dito, e ainda se fala.

ÉDIPO

E qual foi o lugar onde se deu o drama?

JOCASTA

Fócida a terra chama-se: foi lá na encruzilhada
Dos caminhos que vêm de Delfos e de Dáulis.

ÉDIPO
735   Quanto tempo já faz que se passou o caso?

JOCASTA
>Pouco antes de ser-te atribuído o mando
>Nesta terra, isso se divulgou na Cidade.

ÉDIPO
>Ó Zeus, que queres tu fazer de mim?

JOCASTA
>Que preocupação te aflige, Édipo?

ÉDIPO
740 Não me indagues; diz-me antes o aspecto
De Laio, e sua idade.

JOCASTA
>Alto, os cabelos a embranquecer na fronte,
>Aparência da tua não muito diferente.

ÉDIPO
>Pobre de mim! Parece que me atirei
745 Há pouco horríveis pragas, sem saber.

JOCASTA
>Que dizes?! Faz-me medo te contemplar, ó rei!

ÉDIPO
>Temo tremendamente que o adivinho seja vidente.
>Tu o mostrarás melhor, dizendo mais.

JOCASTA
>Receio também sinto; mas que queres que eu diga?

ÉDIPO
750 Quando Laio viajou, tinha pequena escolta
Ou muitos de cortejo, como usa um governante?

JOCASTA
>Os pajens eram cinco; entre eles, um arauto.
>Mas transportava Laio uma só carruagem.

ÉDIPO
>Ai, ai! É tudo claro! Mas quem foi,
Ó mulher, que te fez esse relato?

JOCASTA
755 Um servo, o único a voltar-nos salvo.

ÉDIPO
>Estará ele agora no paço, por acaso?

JOCASTA
>Não. Quando ele chegou, e descobriu que tu
>Estavas no poder, tendo Laio morrido,
760 Pegou na minha mão e muito suplicou
>Que o mandasse para os campos, à guarda de rebanhos
>O mais longe possível da vista da cidade.
>E eu mandei-o ir, que era merecedor,
>Embora fosse escravo, de graça até maior.

ÉDIPO
765 É possível fazer que aqui nos venha, logo?

JOCASTA
>Sim... Mas para que o queres?

ÉDIPO
>Temo por mim, mulher; e temo ter falado
>Demais. Por essa causa o quero ver.

JOCASTA
>Virá. Mas sou também merecedora,
770 Ó senhor, de saber o que te aflige.

ÉDIPO
>Não serás mais privada disso, tanto os receios
>Já me levaram longe. A quem melhor
>Falar eu poderia, neste transe que passo?
>Pólibo de Corinto é meu pai, e a minha
775 Mãe é a dória Mérope; eu lá era
>Príncipe na Cidade; um dia sucedeu

    Este caso comigo, que devia espantar-me,
    Mas não me incomodar tanto como se deu:
    Foi num banquete, um bêbado, ao libar-se
780 O vinho, chamou-me "filho postiço".
    Com tal peso, mal pude, nesse dia,
    Conter-me; já no outro, procurei
    Meus pais, e interpelei-os; mostraram-se eles muito
    Irados contra quem me disse tal injúria.
785 Satisfez-me a atitude deles. Ainda assim,
    Aquilo continuou a ferir-me, profundo.
    Escondido de mãe e pai, tomei o rumo
    De Pito. Febo, à minha demanda, sem dignar-se
    Responder, despediu-me — porém ao desgraçado
790 De mim, fez predição de horror e lástima:
    Que eu haveria de juntar-me com minha mãe, e expor
    Aos homens uma prole que não toleram ver,
    E assassino seria do pai de quem nasci.
    Tendo-o ouvido, da terra de Corinto fugi
795 Saindo ao léu dos astros
    Rumo a onde não visse
    A infâmia de meus fados malfadados cumprir-se.
    Cheguei andando ao sítio em que — disseste —
    Esse rei pereceu.
800 Tudo te vou dizer, mulher: no que alcancei,
    Seguindo meu caminho, aquela encruzilhada,
    Vieram no meu rumo um arauto e, sobre uma
    Carruagem, um homem como o que descreveste.
    O guia, e o próprio velho, procuraram
805 À força me arredar do caminho. Mas eu
    No tal que me empurrava, no cocheiro,
    Com raiva, dei um golpe; e o velho, quando me viu
    Junto da carruagem, a mirar-me, no meio
    Da cabeça atingiu-me com seu açoite duplo.
810 Não teve igual o troco: num instante,
    Por báculo golpeado que brandiu esta mão,
    Rolou da carruagem, de revés, para o chão.
    E seus pajens matei. Mas se, com esse estranho,
    Laio tem de comum a natureza,
815 Qual dos homens será mais infeliz do que eu?
    E quem mais detestado pelos deuses?

Nem estrangeiro nem cidadão a este
Aqui receberá em casa ou falará —
Antes expulsará do lar. E não foi outro
820 Senão eu que estas pragas me atirei!
A esposa do morto maculo com as minhas
Mãos, a que ele morreu. Não sou perverso?
Não sou de todo impuro? Se tenho de exilar-me,
Não posso, em meu desterro, ver os meus,
825 Nem pôr os pés na pátria, sob pena
De desposar minha mãe e assassinar meu pai,
Pólibo, que me deu a vida e me criou.
Quem disser que de crua divindade recai
Sobre mim tudo isso, não falará bem certo?
830 Nunca, nunca, ó dos deuses augusta majestade,
Veja eu esse dia! Do meio dos mortais
Antes eu vá-me embora inviso do que veja
Atingir-me esta mancha infame de vexame!

CORIFEU

Nós também o tememos, ó rei. Antes, porém,
835 De ouvir a testemunha, a esperança mantém!

ÉDIPO

Sim, é toda a esperança que guardo, realmente:
A espera desse homem, desse pastor — e só.

JOCASTA

Mas por que tanta ânsia de vê-lo aparecer?

ÉDIPO

Já o explicarei: se apuramos que ele
840 Confirma o que te disse, eu das penas escapo.

JOCASTA

O que me ouviste falar assim de tão especial?

ÉDIPO

Segundo me disseste, esse homem contou
Que bandidos mataram Laio. Se ele agora
Tal número repete, não sou o matador

845   — Pois um a muitos nunca fora igual.
Contudo, se falar de um viajante só,
Será, então, que em mim recai o crime.

JOCASTA
Mas não! Está certo: é o que ele declarou
E não tem como voltar atrás do dito,
850   Pois a Cidade o ouviu, não fui só eu.
Mesmo que torça um pouco a fala anterior,
Nunca essa morte assassina de Laio
Ajustará de jeito: fatal, disse Loxias,
Laio às mãos de um meu filho morreria
855   — E esse infeliz bem certo não o pôde
Matar, pois antes disso faleceu.
Assim, por profecias não vou eu
Importar-me de ver para que lado olharei.

ÉDIPO
Pensas bem. Mesmo assim, atrás daquele servo
860   Manda algum mensageiro: não o esqueças!

JOCASTA
Já mandarei. Mas vamos para casa.
Nada do que te agrada eu deixo de fazer.

[*Retiram-se Édipo e Jocasta, dirigindo-se ao interior do palácio.*]

❖

Segundo Estásimo

PRIMEIRA ESTROFE

CORO

     Conceda-me o destino preservar
     Piedosa pureza em todas as palavras
865 *E obras minhas — que elas das leis procedam*
     De pés sublimes, no céu nascidas, lá no
     Éter: dessas o Olimpo
     É o único pai, pois não as gerou
     Natureza mortal dos homens, nem
870 *Esquecimento as deita*
     No escondido:
     Nelas há um grande deus, que não perde o vigor.

PRIMEIRA ANTÍSTROFE

     É soberba que gera o tirano: soberba
     Locupleta-se em vão de muitas coisas
875 *Nem oportunas, nem convenientes*
     — E, depois de subir ao cume das alturas,
     Precípite descamba, como é necessidade,
     Aonde o pé não pode
     Suster-se. Mas que o belo
880 *Combate em prol da urbe não se relaxe nunca,*
     É o que peço a deus.
     Não deixo de me ater à proteção de deus.

SEGUNDA ESTROFE

     No entanto, se há quem tome a via presunçosa
     Com gestos e palavras,
885 *Sem temor de justiça, nem respeito*
     Às imagens dos deuses
     — Então, que a sina sinistra assalte-o
     Por conta do orgulho funesto!
     Sim, se não ganha com justiça,
890 *Nem se aparta do sacrilégio,*
     E se, insensato, no intocável toca.

> *Que homem, neste caso, pode os dardos da ira*
> *Gabar-se de manter longe da alma?*
> *Se essas práticas são prezadas,*
890 *Por que dançarei em coros?*

SEGUNDA ANTÍSTROFE

> *Não mais irei ao inviolável*
> *Umbigo da Terra, com reverência,*
900 *Nem ao sacrário de Abas, nem*
> *Tampouco ao de Olímpia,*
> *Se a repelir essas coisas*
> *Os homens não forem unânimes.*
> *Mas ó tu, poderoso — se te cabe este nome —*
> *Zeus regedor de tudo! Que isso não passe oculto*
905 *De ti, de teu poder sempre imortal!*
> *Pois como falecidos, de Laio já os próprios*
> *Oráculos alijam,*
> *Nem mais ilustre tem suas honras Apolo.*
910 *Perde-se a religião!*

❖

Terceiro Episódio

[*Jocasta sai do palácio seguida por servas, levando oferendas.*]

JOCASTA
>Ó príncipes da terra, a ideia me veio
>De ir aos templos dos deuses, em minhas mãos levando
>Estas guirlandas e estes incensórios.
>O ânimo de Édipo exalta-se demais
915 >Com aflições diversas; já não, como o sensato,
>Ele interpreta o novo a partir do antigo,
>Mas se entrega a quem fala... se fala de terrores.
>Agora que mais nada logro em aconselhá-lo,
>Para ti, ó lício Apolo — que és vizinho —,
920 >Suplicante me volto, com estas oferendas:
>Abre-nos uma via de salvação sem mancha,
>Pois nos inquietamos de ver apavorado
>Aquele que é para nós o piloto da nave.

[*Entra um velho pela esquerda, o Mensageiro.*]

MENSAGEIRO
>Um de vós desta terra me dirá onde pode
925 >Ser que eu ache o palácio do rei Édipo
>Ou o rei em pessoa — se é que pode?

CORIFEU
>Eis seu teto. Ele está em casa, ó estrangeiro.
>Esta mulher é a mãe dos filhos seus.

MENSAGEIRO
>Vive sempre feliz, com pessoas felizes,
930 Por ser a sua consumada esposa!

JOCASTA
>Sê feliz também tu, estranho! Que o mereces
>Pela boa palavra. Entretanto, me conta
>Por que causa aqui vens, ou a dar que recado.

MENSAGEIRO
>Boas novas, mulher, para teu marido e a Casa.

JOCASTA
935 Que novas? E da parte de quem chegas?

MENSAGEIRO
>De Corinto. Com o que te hei de falar, deverás
>— Como não? — alegrar-te... Mas, também, ficar triste.

JOCASTA
>O que é? Como pode ter força tão ambígua?

MENSAGEIRO
>Édipo vão tornar seu rei os moradores
940 Do Istmo, conforme por lá é voz corrente.

JOCASTA
>O quê?! O velho Pólibo não é seu governante?

MENSAGEIRO
>Não, porque a morte agora o tem na tumba.

JOCASTA
>Que dizes? Morreu o pai de Édipo? (*Mensageiro:*) Se é que
>A verdade não digo, eu bem mereço a morte.
945 (*Jocasta:*) Serva, anda logo! Vai chamar depressa
>O amo! E então, oráculos dos deuses,
>Que é feito de vós? Édipo, há muito,
>Desse homem fugia, com temor de matá-lo
>— Ao que, na sua ausência, morreu no azar da sorte!

ÉDIPO
950 Ó querida cabeça, minha mulher Jocasta,
Por que mandas chamar-me cá fora do palácio?

JOCASTA
Este homem escuta, e com ouvi-lo aprende
O que valem sagrados vaticínios dos deuses.

ÉDIPO
Ele, afinal, quem é, e o que tem a dizer-me?

JOCASTA
955 De Corinto nos vem, com novas de teu pai:
De que Pólibo é morto e não existe mais.

ÉDIPO
Estrangeiro, que dizes? Declara-me tu mesmo!

MENSAGEIRO
Se devo começar pela confirmação,
Sabe que pela morte ele já foi levado.

ÉDIPO
960 Por conjura ou doença ele foi atacado?

MENSAGEIRO
Para derrubar um velho, basta um pequeno abalo.

ÉDIPO
Foi então de doença que morreu o coitado!

MENSAGEIRO
E também pelos anos, que já muitos contava.

ÉDIPO
Ai, mulher! E agora, quem mais há de escrutar
965 O profético lume de Pito, ou, lá no alto,
As aves piadoras, por cujo agouro eu
Deveria matar meu pai? Defunto, esse
Jaz debaixo da terra, sem que eu tenha tocado

                Em armas! ... A não ser que saudoso de mim
970   Morresse... pois eu dera-lhe morte só assim...
                Oráculos que havia, levou-os para o Hades
                Pólibo — e jazem lá, sem valor, a seu lado.

JOCASTA
                Então, não era isso o que eu cá te afirmava?

ÉDIPO
                De fato; mas o medo me tinha extraviado.
975   (*Jocasta:*) No ânimo não mais acolhas tais pavores!
                (*Édipo:*) E a cama da mãe, como não temerei?

JOCASTA
                Que evitará com medo o homem, sob o mando
                Da sorte, se de nada há previsão segura?
                Viver como se pode é o melhor, à aventura.
980   Não tenhas medo de himeneu de mãe,
                Pois já muitos mortais em sonhos se deitaram
                Com a mãe; mas o homem que a isso
                Importância não dá leva melhor a vida.

ÉDIPO
                Tudo quanto disseste muito bem estaria
985   Se não vivesse aquela que me fez: pois vive;
                Mesmo se tens razão, é força que eu receie.

JOCASTA
                Abre-te o olho a cova do teu pai: grande alívio!

ÉDIPO
                Grande sim; eu, porém, tenho medo da viva.

MENSAGEIRO
                E qual é a mulher a quem tanto receias?

ÉDIPO
990   Mérope, velho: a que se uniu com Pólibo.

MENSAGEIRO
   Que há com ela, que te inspira medo?

ÉDIPO
   Terrível profecia dos deuses, forasteiro.

MENSAGEIRO
   E pode-se saber? Ou é vedado a estranhos?

ÉDIPO
   Pode-se. A mim falou, tempos atrás, Loxias,
995 Que eu seria de juntar-me com minha mãe, e ainda
   O sangue de meu pai tirar com minhas mãos.
   Por isso de Corinto, há muito, me afastei.
   Fui feliz, é verdade; no entanto, também
   Ver o rosto dos pais é uma grande alegria.

MENSAGEIRO
1000 E temendo essas coisas te exilaste de lá?

ÉDIPO
   Ó velho, um parricida eu não quis me tornar.

MENSAGEIRO
   Ó, por que desse medo inda não te livrei
   Eu que vim com os melhores propósitos, meu rei!

ÉDIPO
   Bem que um digno prêmio de mim alcançarás!

MENSAGEIRO
1005 Bem que cheguei aqui com a boa esperança
   De, pelo teu regresso, minha sorte melhorar!

ÉDIPO
   Mas junto a quem me gerou, eu nunca viverei!

MENSAGEIRO
   Filho, bem claro está: o que fazes, não vês!

ÉDIPO
>Como, velho? O que dizes me explica, pelos deuses!

MENSAGEIRO
1010 Se por esses motivos não voltas para casa...

ÉDIPO
>Temo que sejam certas as palavras de Febo!

MENSAGEIRO
>... É que com os genitores tens medo de manchar-te?

ÉDIPO
>Ó velho, é isso mesmo que sempre me apavora!

MENSAGEIRO
>Pois sabe: esse temor que tens é sem razão.

ÉDIPO
1015 Mas como assim, se desses pais nasci?

MENSAGEIRO
>Ora, por parentesco Pólibo nada é teu.

ÉDIPO
>Como? Pólibo, acaso, não foi meu genitor?

MENSAGEIRO
>Ele tão pouco o foi quanto este que te fala.

ÉDIPO
>E como quem me gerou é igual a quem me é nada?

MENSAGEIRO
1020 É que não te gerou, como tampouco eu.

ÉDIPO
>E por que, afinal, de filho me chamava?

MENSAGEIRO
De presente, de minhas mãos te recebeu.

ÉDIPO
Se de outras mãos me teve, como tanto me amou?

MENSAGEIRO
Pela falta de filhos que primeiro penou.

ÉDIPO
1025 Fui comprado ou achado por ti, que me doaste?

MENSAGEIRO
Lá nos vales selvosos do Citerão te achei.

ÉDIPO
E por que é que andavas nesses cantos, então?

MENSAGEIRO
Um rebanho montês guardava, na ocasião.

ÉDIPO
Tu eras um pastor errante, por contrato?

MENSAGEIRO
1030 Mas fui teu salvador, filho, naquele tempo.

ÉDIPO
De que mal eu sofria, quando me resgataste?

MENSAGEIRO
As juntas dos teus pés o podem atestar.

ÉDIPO
Ai, o velho defeito, para que me recordar?

MENSAGEIRO
Fui eu quem desprendeu os teus pés trespassados.

ÉDIPO
1035 Advém-me do berço um estranho vexame!

MENSAGEIRO
Tirado desse caso foi o teu próprio nome.

ÉDIPO
E o provocou, diz-me, pai ou mãe, pelos deuses?

MENSAGEIRO
Não sei. Melhor o sabe quem a mim te entregou.

ÉDIPO
E tu não me encontraste? De outro me recebeste?

MENSAGEIRO
1040 Não te achei; deu-te a mim outro pastor.

ÉDIPO
Quem era? Poderias, acaso, descrevê-lo?

MENSAGEIRO
Consta que era um servidor de Laio.

ÉDIPO
Do que outrora reinou neste país?

MENSAGEIRO
Sim; era servo dele esse pastor.

ÉDIPO
1045 E vive ainda, que eu mesmo o possa ver?

MENSAGEIRO
Isso sabeis melhor vós outros, desta terra!

ÉDIPO
Alguém aqui da terra por acaso
Me conhece o pastor de que ele fala?
No campo ou aqui mesmo o terá visto?

1050   Revele-o, que é a hora de apurar esses fatos!

CORIFEU
Penso que não é outro senão esse do campo
Que já antes buscavas; no entanto
Jocasta, que aí está, melhor o informará.

ÉDIPO
Sabe, mulher, aquele que há pouco
1055   Queríamos viesse? É de quem fala este?

JOCASTA
Que tem o que ele disse? Esquece! O dito à toa
Melhor é que jamais tu queiras recordar!

ÉDIPO
Mas nunca se dará que eu, tendo encontrado
Indícios tais, desista de me saber a raça.

JOCASTA
1060   Oh, pelos deuses, não! Se prezas tua vida,
Não procures por isso! Basta que eu só padeça!

ÉDIPO
Coragem! Se provar-se que eu cá sou filho e neto
De escrava, isso não há de rebaixar-te em nada!

JOCASTA
Ainda assim me atende, eu rogo: não o faças!

ÉDIPO
1065   Eu não te atenderei: quero apurar o certo.

JOCASTA
Aconselho-te o melhor, com plena consciência.

ÉDIPO
Os teus belos conselhos já muito me aborrecem.

JOCASTA

    Desgraçado! Oxalá nunca saibas quem és!

ÉDIPO

    E então, não vai ninguém me buscar esse pastor?
1070   Deixai que ela se gabe de sua rica estirpe!

JOCASTA

    Ai, ai, meu infeliz! Eu de agora em diante
    Só esse vou te dar, nunca mais outro nome!

[*Jocasta se retira e entra no palácio.*]

CORIFEU

    Por que é que sai assim, ó Édipo, a mulher
    Por uma dor agreste agitada? Receio
1075   Que do silêncio dela irrompam infortúnios.

ÉDIPO

    Pois rompa o que romper! Quero saber da minha
    Semente, e pouco importa se esta for mesquinha!
    Ela pensa, por certo, como mulher altiva
    E assim de minha baixa extração se envergonha.
1080   Eu, porém, considero-me um filho da Fortuna,
    A benfazeja: não terei desonra.
    Essa mãe me pariu: luas dos meses manos
    Já pequeno, já grande me fizeram, mudando.
    O que sou de nascença, inda que evite agora
1085   Saber de minha origem, não se me alterará.

❖

Terceiro Estásimo

ESTROFE

CORO

    Se sou adivinho, hábil
    Na arte, se tenho ciência,
    Tu — pelo Olimpo! — não serás sem vulto,
    Oh, Citerão! Amanhã, à luz
    Do plenilúnio, compatriota
1090   *De Édipo*
    E mãe, e nutriz, por certo
    Te declararei!
    E meus coros te celebrarão
    Por graças feitas a meus reis.
1095   *A ti, ó Febo dos alaridos,*
    Que seja isto grato também!

ANTÍSTROFE

    Filho, quem te fez? Oh, qual das
    Ninfas de longa vida, com
1100   *O padre Pan, que bate os montes?*
    Ou foi ela amante
    De Loxias? Das planuras ricas de pastos
    Este é amigo.
    Ou foi de Cilene o soberano?
1105   *Ou o báquico nume*
    Que habita os píncaros
    Acolheu-te
    De uma das helicônidas ninfas
    Com quem muitas vezes brinca?

❖

Quarto Episódio

[*Entram pela esquerda dois servos, conduzindo um velho escravo pastor.*]

ÉDIPO
1110 Se posso também eu, que nunca o deparei,
Conjeturar, anciãos, julgo que lá vem ele,
O pastor que buscamos há muito. Na avançada
Idade, a esse homem se iguala, junto a nós.
Além disso, na escolta reconheço meus servos.
1115 Mas disso melhor ciência tendes vós:
Podeis antecipá-lo, que o já vistes.

CORIFEU
Sabe que o reconheço, por certo. Era de Laio
Dentre todos fiel guardador de rebanhos.

ÉDIPO
Primeiro te pergunto, estrangeiro coríntio:
1120 É deste que falavas? *(Mensageiro:)* Sim, é este que vês.
(Édipo:) Ó velho, tu, agora, sem desviar os olhos,
Responde o que te indago: eras servo de Laio?

SERVO
Sim, Senhor; não comprado, mas cria do palácio.

ÉDIPO
E com que labutavas? Em que tipo de vida?

SERVO
1125   Apascentei rebanhos a maior parte do tempo.

ÉDIPO
        Em que sítios, de preferência, jornadeavas?

SERVO
        No Citerão e em suas cercanias.

ÉDIPO
        E lembras-te de ter conhecido este homem?

SERVO
        Qual era seu ofício? De quem estás falando?

ÉDIPO
1130   Desse aí. Lá estiveste com ele alguma vez?

SERVO
        Não tanto que a memória me dê resposta pronta.

MENSAGEIRO
        Senhor, não admira! Mas farei com certeza
        Quem me esqueceu lembrar-se, pois sei que ele recorda
        Esse tempo em que nós no Citerão andamos,
1135   Ele com dois rebanhos, eu com um.
        Vizinho deste homem, estive três inteiros
        Semestres, desde primavera a outono;
        No inverno, ao meu redil o meu tangia,
        E ele tocava para os currais de Laio.
1140   Então? Digo a verdade? Ou isso não se deu?

SERVO
        É verdadeiro, sim. Só que faz muito tempo!

MENSAGEIRO
        Diz agora se lembras de que me deste um menino
        A criar como meu?

SERVO
De que estás falando? Que queres, afinal?

MENSAGEIRO
1145 Aqui está, meu caro, a criança de então!

SERVO
Maldito! Cala a boca!

ÉDIPO
Oh, velho, não lhe batas! São as tuas palavras
Que merecem castigo, não as suas!

SERVO
Mas onde foi que errei, meu ótimo Senhor?

ÉDIPO
1150 Em não falar da criança que ele mencionou.

SERVO
Mas não sabe o que diz, esse aí! Perde tempo!

ÉDIPO
Oh, tu hás de falar, ou por gosto, ou chorando!

SERVO
Não! Pelos deuses, não! Um velho não maltrates!

ÉDIPO
Tratai logo de lhe atar as mãos às costas.

SERVO
1155 Por quê? Pobre de mim! Que desejas saber?

ÉDIPO
Tu deste a criança, como diz este homem?

SERVO
Sim, dei. Quisera ter morrido nesse dia!

ÉDIPO
É isso que te espera, se o que deves não dizes!

SERVO
E se falo, mais certa ainda é minha morte!

ÉDIPO
1160 Pelo jeito, este homem teima, ganhando tempo...

SERVO
Não, não! Pois eu já disse que dei essa criança!

ÉDIPO
E de onde a pegaste? Da tua, de outra casa?

SERVO
Minha, não era não. De outro a recebi.

ÉDIPO
Mas de que cidadão, de que teto de Tebas?

SERVO
1165 Não, amo! Pelos deuses, não me perguntes mais!

ÉDIPO
Se eu tiver de indagar outra vez, morrerás.

SERVO
Pois era uma criança do pessoal de Laio.

ÉDIPO
Era um escravo, ou um parente seu?

SERVO
Ai de mim! Chego ao que é horrível de dizer!

ÉDIPO
1170 E de ouvir, para mim! No entanto, ouvirei.

SERVO

Um filho seu, diziam. No entanto a mulher
Dentro de tua casa melhor o explicará.

ÉDIPO

Foi ela quem te deu o menino? *(Servo:)* Sim, amo.
(Édipo:) E para fazer o quê? *(Servo:)* Para que o matasse!
1175 *(Édipo:)* A mãe, a desgraçada? *(Servo:)* Foi por medo que
[tinha, de coisa ruim deusdita.
(Édipo:) De que sorte? *(Servo:)* Que ele mataria os pais, era
a sentença.

ÉDIPO

Então, por que o deste a este velho?

SERVO

Tive pena, Senhor; e esperava que este
O levasse para longe, à sua terra.
1180 Mas para males maiores o guardou. Se és quem disseste,
Fica agora sabendo que mísero nasceste.

ÉDIPO

Ai, ai! Tudo que foi predito confirmou-se!
Seja-me a última vez de te ver, luz do dia!
Revelei-me que vim dos que não me convinha,
1185 Vivo com quem não devo, matei quem não podia!

[*Édipo sai de cena, correndo desvairado para o interior do palácio.*]

❖

Quarto Estásimo

PRIMEIRA ESTROFE

CORO
>Ai, gerações dos mortais!
>A sua vida tenho eu
>Na conta de nada!
>Pois quem, dentre os homens, tem
>1190 Um tanto de felicidade
>Maior que a fama de feliz
>— Um parecer, que desaparece?
>Teu exemplo, se considero
>Tua sina, Édipo,
>1195 Ó desditoso! Mortal nenhum
>Digo ter sorte, nunca mais.

PRIMEIRA ANTÍSTROFE

>Tu alcançaste além do lance!
>E dominaste, sim, os dons
>Afortunados — não de todo,
>Por Zeus! — mas eliminaste
>A virgem dos versos-adivinhas
>1200 De unhas aduncas; contra a morte
>Na minha terra, foste uma torre:
>Por isso, meu rei aclamado,
>Com máximas honras
>Então o mando
>Tiveste em Tebas, a magnífica.

SEGUNDA ESTROFE

>Agora, quem se diz mais infeliz?
>1205 Quem com agruras, quem com pesares
>Pior, no transtorno da vida?
>Ai, gloriosa cabeça de Édipo!
>Enorme porto, o mesmo porto
>Deu-te abordagem
>A pai e filho — ai! —

1210 *Na barra das bodas!*
Como é que tanto as sementeiras
Do teu pai te suportaram
— Oh, desditado! — sem revoltar-se?

SEGUNDA ANTÍSTROFE

Mau grado teu, o tempo, que tudo vê, achou-te
1215 *E pune o destempero da núpcia inúbil em que, de volta,*
O gerado exagera gerando.
Ai, filho de Laio!
Antes a ti eu nunca, nunca
Tivesse visto!
Pois só me desolo
E desvairados gritos rompem
1220 *De minha boca. Mas é verdade:*
Outrora, tu me tornaste à vida
— E fechas-me os olhos hoje.

❖

Exôdo

[Entra em cena um lacaio vindo do palácio e dirige-se ao coro dos anciãos de Tebas.]

LACAIO

        Ó homens, nesta terra sempre honrados ao máximo
        Que horrores ouvireis e vereis! Que lamentos
1225   Altos elevareis, se, com nobreza,
        Interesse mantendes pela Casa de Lábdaco!
        Penso que nem as águas do Istro com as do Fásis
        Poderiam, lavando, purificar os males
        Que estão nesta morada, sem ver a luz ainda,
1230   Voluntários, não involuntários. Mais pungem
        Dores que o sofredor a si mesmo se inflige.

CORIFEU

        O que nós já sabemos não era para menos
        Do que muito lamento. O que mais vens dizer?

LACAIO

        Para ser breve na fala e no dar-vos ciência:
1235   A divina Jocasta pereceu.

CORIFEU

        Oh, coitada! E quem foi responsável por isso?

LACAIO

        Ela mesma. Porém, o que ainda se deu
        De mais dor, não sabeis — longe vos foi dos olhos.

105

               Tanto quanto a memória me ajude, em todo caso,
1240   Sabereis da infeliz a paixão que penou.
               Tão logo, de arrebato, passou do umbral do tálamo
               À cama conjugal direto se atirou
               Já com ambas as mãos a arrancar-se os cabelos.
               Tendo pronto batido as portas na passagem,
1245   Pôs-se a chamar por Laio, morto há muito; lembrava
               As antigas sementes deste, de que ele mesmo
               Tivera de morrer, e de que lhe deixou
               Geração de degeneração para os seus.
               Pranteava na cama em que dúplice fez
1250   Com o marido, um marido — e filhos a seu filho.
               Mas não sei como foi que em seguida morreu:
               É que Édipo então nos surgiu, aos clamores.
               Por sua causa, não vimos o finar-se da outra,
               Só prestando atenção às voltas que ele dava.
1255   Ele andou-nos à roda a buscar-nos espada
               E a esposa não esposa — dizia — mas materna
               Seara onde ele mesmo, semeado, semeara.
               Ao furioso, mostrou-lhe o rumo algum demônio:
               Nenhum dos homens foi, de nós a seu redor.
1260   Como se alguém o guiasse, dando brados horrendos
               Contra as folhas da porta atirou-se, arrancando
               O ferrolho do encaixe, e irrompeu no aposento.
               Vimos então, lá dentro, a mulher pendurada
               Enforcada de um nó, num balanço dobrado.
1265   O infeliz, quando o viu, com um bramido horroroso
               O laço relaxou pendente; quando em terra
               Esse corpo caiu, foi horrível a cena.
               Alfinetes de ouro tirando do vestido
               Com que ela se arrumava, ele os ergueu para o alto
1270   E pegou a ferir-se o globo de seus olhos,
               Aos brados de que assim já não veriam mais
               No porvir os seus males, feitos ou padecidos —
               Sós na treva com a vista daqueles que não eram
               De ver, e dos que quis, porém não conheceram.
1275   Assim, nessa toada, não uma vez, mas várias,
               Suas mãos a elevar golpeava-se as pálpebras
               E as pupilas em sangue o queixo lhe regavam —
               Não só gotas de cruor, mas uma chuva negra

E granizo de sangue formando a correnteza.
1280 Estes males brotaram de dois, que não de um só:
Males acasalados de marido e mulher.
Felicidade antiga que eles outrora tinham
Felicidade foi; é, no presente, pranto,
Dano, vergonha, morte — é mal, enfim,
1285 De tudo quanto é nome: não lhes falta nenhum.

CORIFEU
E um descanso da dor, tem agora o coitado?

LACAIO
Clama que abram as portas para mostrar
A todos os cadmeus o matador do pai
E da mãe... (O que diz é impuro, não repito)
1290 Como por exilar-se da terra, não ficar
Mais na casa maldita de sua maldição.
Mas carece de arrimo e guia, certamente:
Sua dor é maior do que o suportável.
É o que já vai mostrar-vos — as portas se descerram
1295 Patentes — e vereis espetáculo tal
Que até a um inimigo causara compaixão.

[*Édipo entra em cena, vindo do interior do palácio pela porta central. Vem vacilante, tateando, com o rosto ensanguentado.*]

CORIFEU
Oh, desgraça horrorosa para a vista dos homens!
Oh, horror mais horrível de todos quanto eu
Jamais vi! Oh, infeliz, que demência
1300 Atacou-te? Que sobre-humano deu
O bote mais medonho
Sobre tua triste sina?
Ai, ai, oh, infeliz! Nem te olhar eu posso
Ainda que muito queira perquirir,
1305 Muito indagar, muito saber de ti
— Tamanho horror me toma!

ÉDIPO

    Ai! Ai! Desgraçado de mim!
    Aonde me vou levando, miserável, no mundo?
1310   Por onde erra minha voz vagante?
    Oh, sina! Onde me arrojas?

CORIFEU

    Em horror inaudito e nunca visto!

ÉDIPO

    Ó nuvem invasora, minha nuvem
    De treva inarredável, indizível,
1315   De nunca ultrapassar, e sem limite!
    Ai de mim!
    Ai, ai de mim ainda! Como a um tempo me pungem
    Aguilhão e memória de meus males!

CORIFEU

    Com tamanhos pesares, não espanta
1320   Que te doam em dobro os teus males dobrados!

ÉDIPO

    Ai, amigo!
    Meu fiel companheiro és tu, que ainda
    Te estás a preocupar com um cego — comigo!
    Ai, ai!
1325   Tua presença de mim não se oculta: conheço-a
    Mesmo no meu escuro, pois ouço tua voz.

CORIFEU

    Oh, fazedor de horrores! Como houveste coragem
    De destruir-te os olhos? Qual demônio danou-te?

ÉDIPO

    Apolo, meus amigos! Foi Apolo
1330   Que me impôs estes males dos males, minha mágoa!
    Todavia, quem me feriu fui eu, e mais ninguém:
    Fui eu, com minha mão, o infeliz de mim!
    Mas o que mais eu devia ver?
    Para que enxergar, se nada de agradável

1335   À minha vista havia?

CORIFEU
        Sim, é certo o que dizes!

ÉDIPO
        Para mim, que há de mirar admirando, ainda?
        Que hei de querer, hei de falar, ou hei de
        Ouvir com gosto, amigos?
1340   Retirai-me, depressa, desta terra!
        Retirai-me, queridos, a este pestilento
1345   E três vezes maldito, o mortal que os deuses
        Mais detestam!

CORIFEU
        Ó homem desgraçado na sorte e no juízo
        Também! Como eu quisera não te ter conhecido!

ÉDIPO
        Pereça o qualquer que, errante nos campos,
1350   De agrestes peias livrou-me os pés
        E salvo me soltou da morte:
        Nada lhe tenho de agradecer!
        Pois se eu tivesse, então, morrido,
        Nem para mim, nem para meus amigos,
1355   Tamanha mágoa viria a ser!

CORIFEU
        Isso eu também quisera que houvesse acontecido!

ÉDIPO
        Assim não viria a ser assassino
        Do pai, nem pelos homens chamado
        O marido de quem me fez.
1360   Ora sou ermo de deus, sacrílego, filho da impura,
        Sou cogenitor com quem uma triste vida me deu;
1365   E se entre os males há superior,
        É bem este o que coube a Édipo.

109

CORIFEU
>Não sei como pudera justificar-te a escolha:
>Melhor te fora a morte que essa vida de cego!

ÉDIPO
>Que eu assim não agi como era melhor
1370 Não venhas ensinar-me; e poupa-me conselhos —
>Se eu ainda enxergasse, não vejo com que olhos
>Fitaria, em chegando lá no Hades, o meu pai
>E minha pobre mãe: contra os dois cometi
>Tais crimes que a puni-los baraço é pena leve.
1375 E acaso contemplar a vista dada à luz
>De filhos como os que gerei, daria gosto?
>Ora, nunca! Jamais — quando nada a meus olhos!
>Não, nem torres de Tebas, nem as santas imagens
>Dos deuses posso ver, de que — desgraçadíssimo —
1380 Mesmo sendo o mais nobre tebano, me privei,
>Ao dar ordem, eu mesmo, aos conterrâneos todos
>De expulsarem o ímpio que os deuses revelaram
>Ser impuro, também — e da estirpe de Laio.
>Depois de manifesta a minha ignomínia,
1385 Então teria olhos de encarar esta gente?
>Jamais! E se pudesse a fonte da audição
>No ouvido represar, não deixaria mesmo
>De este corpo infeliz em cárcere tornar-me
>De modo a ficar cego e surdo — pois é doce
1390 Viver com a mente posta distante das desgraças.
>Oh, por que me acolheste, Citerão? Por que, logo
>Ao receber-me, tu não me mataste, para
>Que aos homens nunca eu fora revelar donde vim?
>Oh, Pólibo, Corinto e antigo palácio,
1395 Meu ancestral de nome, apenas! Como pois
>Me criastes? — Um cancro sob uma bela imagem! —
>Ruim me mostro agora, de gente ruim nascido.
>Oh, três estradas e velado vale
>De carvalhos, vereda onde se forma um trívio,
1400 Que meu sangue bebestes, por minhas mãos tirado
>De meu pai! Por acaso não tendes a lembrança
>Dos crimes que vos fiz em face, e dos que vindo
>Para cá eu pratiquei, ainda? Oh, bodas! Bodas!

                Gerastes-me — e depois, de volta renovadas,
1405   Essa mesma semente lançastes, dando à luz
                Pais, irmãos, filhos, vindos de uma única cepa,
                Mães e esposas de um mesmo — e as façanhas que são
                Mais infames para os homens! Oh, findemos, que isso
                É tão pouco decente falar como fazer!
1410   Depressa, pelos deuses! Longe daqui me ponde
                Escondido, ou matai-me! Ou me lançai nas ondas
                Onde eu não seja visto nunca mais!
                Oh, vamos, dignai-vos tocar num desgraçado!
                Medo não tende, crede-me: meus males
1415   Só eu posso sofrer, nenhum outro mortal.

[*Entra Creonte.*]

CORIFEU
                Para teus rogos em boa hora vem Creonte.
                As deliberações lhe cabem, pois ficou
                Só ele em teu lugar de guardião da terra.

ÉDIPO
                Ai de mim! Que palavras lhe direi?
1420   Que crédito hei de ter a seus olhos, se antes
                Para com ele errado em tudo me mostrei?

CREONTE
                Ó Édipo, eu não venho para rir-me de ti,
                Nem para te insultar por teus erros passados.
                Quanto a vós, se não tendes respeito pela raça
1425   Dos mortais, pelo menos tende pudor do fogo
                Do rei que nutre o mundo, o Sol; não fique exposta
                Impureza tamanha tal qual a terra, nem
                A santa água, nem a luz aceitam.
                Tratai já de o levar para dentro de casa:
1430   Só os parentes podem, conforme a piedade,
                Ver e ouvir as desgraças da família.

ÉDIPO
                Ó tu que — pelos deuses! — desfazes meu receio
                Vindo, ó melhor dos homens, a mim, o mais infame,

111

Ouve-me, não por mim, mas no teu interesse.

CREONTE
1435   E por que causa assim tanto me solicitas?

ÉDIPO
Logo fora me põe desta terra: em lugar
Onde ninguém me veja nem me possa falar.

CREONTE
Sabe que eu já o fizera, se não quisesse, antes,
Indagar dos divinos o que é de pôr em prática.

ÉDIPO
1440   Mas já foi declarada a sentença d'Aquele:
Ao ímpio parricida que sou, eliminar-me.

CREONTE
Assim Ele falou. Mas no extremo em que estamos
É melhor indagar o que deve ser feito.

ÉDIPO
Consultarás o orago por um infeliz como eu?

CREONTE
1445   Para que tu, agora, já tenhas fé no deus.

ÉDIPO
Sim! E em ti também confio, a quem suplico:
Da que está lá em casa, do modo que quiseres
Dispõe o funeral — pois bem hás de cuidar
Dos teus. Mas quanto a mim, não permitas que esta
1450   Cidade de meus pais me sofra aqui vivente.
Que eu vá morar nos montes — no Citerão, por mim
Afamado, que em vida minha mãe e meu pai
Deram-me como tumba — e há de ser assim:
Morro de seu matar-me!
1455   No entanto, bem sei que moléstia nenhuma
Nem outra coisa pode aniquilar-me: outrora
Não fui salvo da morte senão para grande horror.

112

                    Mas siga minha sina, qualquer que seja o rumo!
                    Escuta-me, Creonte! Quanto a meus filhos homens,
1460   Não te deem cuidado: são homens, são capazes
                    De vencer privações, onde a vida os levar.
                    Mas minhas pobres moças, as coitadas,
                    Sem cuja companhia nunca me pus à mesa
                    E sempre tinham parte dos bocados, em todos
1465   Os pratos meus — delas toma o cuidado!
                    E deixa-me tocá-las
                    Com minhas mãos ainda, e chorar nossos males!
                    Oh, príncipe,
                    Oh, nobre de nascença! Com minhas mãos tocando-as,
1470   Pensarei que inda as tenho, como antes, quando as via.

[*Entram chorando duas meninas: Ismene e Antígone.*]

                    Que digo?
                    Pelos deuses! São elas, as queridas, que escuto
                    A chorar? Pois Creonte, tendo pena de mim,
                    Mandou-me as minhas filhas caríssimas?
1475   É certo?

CREONTE
                    É certo. Este consolo eu te propiciei
                    Sabendo que de há muito te vem esta saudade.

ÉDIPO
                    Tu, sê feliz por isso! Por conta deste envio,
                    Melhor do que a mim te guarde um dos divinos!
1480   Ó filhas, onde estais? Vinde cá, vinde logo
                    Ao alcance das minhas mãos irmãs,
                    As manas que dos olhos deste pai
                    Antes cheios de luz, fizeram o que vendo estais!
                    Eu, filhas, evidente — sem ver e sem saber —
1485   Me fiz o vosso pai no ventre de que vim!
                    Hoje vos choro: não por ver, que já não posso,
                    Mas pensando no amargo futuro que tereis
                    Na vida, por imposição dos homens.
                    A que reuniões, a que festas de Tebas
1490   Ireis para não voltar com lágrimas em vez de

113

Espetáculo, o pranto pela festa?
E quando o tempo vos chegar das bodas,
Quem haverá, meninas, quem há de aventurar-se
A tomar para si uma infâmia tamanha
1495 Que arruinará meus pais, como os vossos também?
Qual o mal que vos falta? Pai que matou o pai
E fecundou a mãe
Onde ele foi plantado
E daquela de quem saiu, vos recebeu.
1500 Tereis esses ultrajes. Com quem vos casareis?
Homem nenhum, meninas! Forçosamente, é claro,
Sem o labor das bodas, vão murchar vossos prados.
Filho de Meneceu! Tu, que único pai
A estas lhes restou — pois nós, os que as geramos,
1505 Morremos, todos dois — não queiras vê-las, pai,
Tuas filhas, sem homem, a vagar mendigando,
Nem permitas que os seus rivalizem meus males;
Apiada-te delas, sozinhas nesta idade,
No abandono de todos, senão de tua parte.
1510 Ó nobre, isso promete, a me tocar com a mão.
A vós, ó minhas filhas, se já tivésseis tino
Muito aconselharia. Ora rezai, pedindo
Que, onde a sorte vos deixe viver, leveis a vida
Melhor do que a do pai de quem fostes nascidas.

CREONTE
Já chorastes demais. Recolhei-vos ao paço.

ÉDIPO
1515 Infeliz obedeço. *(Creonte:)* Tudo é melhor a tempo.
(Édipo:) Sabes como me disponho a partir? *(Creonte:)* Eu
[te ouço.
(Édipo:) Desde que tu me exiles. *(Creonte:)* É com o deus
[o que pedes.
(Édipo:) Mas sou o horror dos deuses! *(Creonte:)* Eles te
[atenderão, portanto.
(Édipo:) Garantes? *(Creonte:)* Não costumo dizer o que
[não penso.
(Édipo:) Leva-me logo embora. *(Creonte:)* Deixa as meninas
[e anda.

114

(Édipo:) Não! Não me apartes delas! *(Creonte:)* Não queiras
[sempre te impor!
Tua supremacia nunca foi duradoura.

CORO

Habitantes de minha pátria Tebas, eis o Édipo
1525 Que os famosos enigmas soube, o homem poderoso
Cuja sorte, na urbe, todos viam com inveja:
Vede em que onda horrenda de desgraça ele voga!
Assim, nenhum mortal que o último dia ainda
Está por ver, não feliciteis antes
1530 Que sem prova de mágoa chegue ao termo da vida.

❖

Glossário

Esclarecimento de alguns termos empregados no texto da tradução e na Introdução.

I. Antropônimos e Teônimos

AGENOR: Rei legendário de Sídon ou Tiro, na Fenícia. Antepassado de LAIO e ÉDIPO, filho de POSÍDON e Líbia, irmão de Belo (rei mítico do Egito). De acordo com a tradição mais difundida, Agenor gerou com Telefassa os seguintes filhos: EUROPA, CADMO, Fênix e Circe. Quando Europa foi raptada por ZEUS, Agenor ordenou aos filhos que a procurassem, e só voltassem com a princesa.

ÁJAX: Homero refere-se a dois heróis gregos desse nome, que lutaram na guerra de Troia: o filho de Oileu e o filho de Telamon. Trata-se aqui deste último, o telamônio, rei de Salamina, cujas desventuras foram tema de uma tragédia de Sófocles (*Ájax*).

ANDROTÍON: Atidógrafo, discípulo de Isócrates. *Floruit* entre 380 e 330 a.C.

ANFITRITE: Divina esposa de POSÍDON, rainha do mar, nereida (filha de Nereu, o "Velho do Mar", e de Dóris), neta de Oceano.

ANTÍGONE: Filha de ÉDIPO e JOCASTA — segundo a tradição que Sófocles subscreve — ou de ÉDIPO e EURIGÂNIA, segundo outras versões do mito. Nome de uma tragédia de Sófocles. Nome de uma tragédia de EURÍPIDES.

APOLO: Um dos maiores deuses olímpicos, filho de ZEUS e de Leto, irmão de ÁRTEMIS — o arqueiro divino, principal intérprete da vontade de ZEUS.

ARES: Deus olímpico, senhor da guerra. Filho de ZEUS e Hera, os soberanos dos deuses.

ARISTÓFANES: Comediógrafo ateniense, *floruit* entre o sec. V e o IV a.C. Sua primeira peça é de 427 e a última, de 388.

ARISTÓTELES: Um dos maiores filósofos de todos os tempos. Foi discípulo de Platão. Natural de Estagira, viveu entre 384 e 322 a.C.

ÁRTEMIS: Uma das grandes divindades olímpicas, filha de ZEUS e Leto, irmã de APOLO. Virgem caçadora, senhora das feras e do mundo selvagem.

ASCLÉPIO: Semideus, filho de APOLO com Coronis (ou com Arsínoe, em outras versões). Grande curador, patrono da medicina. Segundo a tradição mítica, seus recursos médicos eram tamanhos que ele chegou a ressuscitar mortos. ZEUS por isso o fulminou. Seu culto, quiçá originário da Tessália, alcançou grande fastígio em Epidauro. Sófocles era seu devoto.

ATENA: Uma das maiores divindades olímpicas, pan-helênicas. Virgem guerreira, senhora da sabedoria. O mito de seu nascimento diz que ela brotou armada e adulta da cabeça de ZEUS, que tinha engravidado a deusa Métis e depois a devorado.

ATENEU: Escritor grego, natural de Náucratis, *floruit circa* 200 a.C.

BACO: Grande deus grego. O mesmo que DIONISO. Filho de ZEUS e Sêmele.

CADMO: Herói considerado fundador de Tebas ou pelo menos de sua cidadela, por isso mesmo chamada *cadmeia*. Filho de AGENOR. Mandado pelo pai à procura de EUROPA, sua irmã, raptada por ZEUS, a conselho de um oráculo abandonou essa busca e seguiu uma novilha até onde ela se deteve; aí a sacrificou e fundou uma urbe, depois de matar o dragão de Ares e semear-lhe os dentes, dando origem aos chamados Espartos (*Spártoi*, "Semeados"). Casou-se com Harmonia, filha de ARES, que lhe deu as filhas Ágave, Autônoe, Ino, Sêmele (mãe de DIONISO) e o filho POLIDORO, que viria a ser o pai de LÁBDACO, avô de LAIO e bisavô de ÉDIPO.

CÍMON: Político aristocrata, estadista e general ateniense, filho de Milcíades, nascido *circa* 510 a.C. Estratego muitas vezes vitorioso, tornou-se o principal dirigente da Liga de Delos e dominou em Atenas por um vasto período. Condenado ao ostracismo em 461, retornou a Atenas dez anos depois. Morreu em 450, no cerco de Cítium.

CREONTE: Personagem mítico da legenda tebana, filho de MENECEU, irmão de JOCASTA, tio e cunhado de ÉDIPO. Depois da abdicação e exílio deste, assumiu a regência de Tebas. Pai de Hémon, que na versão mais conhecida do mito era noivo de ANTÍGONE. Pai também de MENECEU, jovem que se sacrificou para salvar a pátria na campanha dos "Sete contra Tebas".

CRÍSIPO: Personagem mítico ligado à legenda argiva e à tebana. Filho natural de PÉLOPS. Foi raptado por LAIO, que por ele se apaixonou. Matou-se de vergonha, segundo a variante mais conhecida do mito. De acordo com uma tradição, por sua causa PÉLOPS amaldiçoou LAIO, rogando aos deuses que este não tivesse descendência, ou, se tivesse, morresse às mãos do filho.

DÉLIO: Epiclese de APOLO — que, segundo o mito, nasceu na ilha de Delos.

DICEARCO: filósofo, discípulo de ARISTÓTELES, *floruit* na segunda metade do século IV a.C.

DIONISO: Um dos grandes deuses da Hélade, também chamado BACO, filho de ZEUS e da mortal Sêmele, filha de CADMO com Harmonia, neta de ARES pelo lado materno. Senhor do vinho, era celebrado de forma orgiástica. As mulheres tinham papel destacado no seu culto, que envolvia transe e arrebato entusiástico. Suas seguidoras e celebrantes eram as MÊNADES. Em seus festivais eram representadas as tragédias.

ÉDIPO: Herói tebano, filho de LAIO e JOCASTA, famoso por ter, segundo os mitos, derrotado a ESFINGE, decifrando-lhe o enigma, mas também por ter, involuntariamente, matado o pai e desposado a mãe. Suas façanhas foram objeto de uma epopeia perdida, a *Édipodia*, e de várias tragédias.

ELECTRA: Heroína mítica, princesa argiva, filha de Agamêmnon e de Clitemnestra. Sua mãe matou o marido com a cumplicidade do amante, Egisto. Electra dedicou-se a vingar o pai, associando-se com o irmão, Orestes, a quem salvou e enviou, ainda criança, para o estrangeiro. No retorno de Orestes, juntou-se a este para eliminar Clitemnestra e Egisto. Nome de uma tragédia de Sófocles. Nome de uma tragédia de Eurípides.

ENOMAU: mítico rei de Pisa, na Élida, filho de ARES com Harpina (uma filha do deus-rio Asopo), ou, de acordo com outras versões, com Estérope, uma das Plêiades. Casado com uma filha de Acrísio, Estérope (ou Evarete). Pai de Hipodâmia, recusava-se a dá-la em casamento. Desafiava os pretendentes a uma corrida, em que lhes dava vantagem, mas matava-os à traição. Nome de uma tragédia perdida de Sófocles. Nome de uma tragédia perdida de Ésquilo.

ERÍNIAS: Deusas nascidas, segundo Hesíodo, das gotas de sangue de Urano que impregnaram a Terra quando o deus foi mutilado. Eram as terríveis vingadoras dos crimes, sobretudo daqueles cometidos contra consanguíneos. Correspondem às Fúrias (*Furiae*) latinas.

EROS: O deus Amor. Era considerado filho de Afrodite, segundo uma tradição muito difundida; mas de acordo com Hesíodo (*Theog.* 120 sq.) nasceu do Caos primitivo, ao mesmo tempo que a Terra. Nas Teogonias órficas, Eros é o primogênito do universo, que desponta do ovo primordial gerado por Noite.

ESFINGE: Monstro feminino, alado, com cabeça e busto de mulher, corpo de leão (ou de cão), cauda de serpente. Segundo Hesíodo (*Theog.* 326 sq.), seria filha de Equidna e Ortro, o cão de Gerião. Outros a diziam filha de Tifão. De acordo com o escólio ao v. 1760 de *As fenícias*, de Eurípides, que parece reportar-se à *Édipodia*, foi enviada contra os tebanos pela deusa Hera, indignada porque estes não castigaram o crime de LAIO (o rapto de CRÍSIPO). A Esfinge propunha um enigma aos passantes, e como estes não o decifravam, ela os devorava. Foi vencida por ÉDIPO, que decifrou o enigma, fazendo-a atirar-se a um abismo.

ÉSQUILO: Dramaturgo ateniense, um dos maiores trágicos gregos, nascido em Elêusis, em 525 a.C. Morreu em Gela, na Sicília, em 426 a.C. Escreveu cerca de noventa peças, das quais se conservam apenas sete. É considerado o verdadeiro criador da tragédia grega, pois por meio da introdução do deuteragonista viabilizou o diálogo e o desenvolvimento da ação dramática.

ETÉOCLES: Um dos filhos de ÉDIPO, com JOCASTA, segundo algumas versões, ou com EURIGÂNIA, segundo outras. Gêmeo de POLINICES, de quem se tornou inimigo, na disputa pelo trono de Tebas, na sucessão de ÉDIPO. Os gêmeos rivais mataram-se um ao outro num duelo.

EURIGÂNIA: Segunda esposa de ÉDIPO, de acordo com algumas versões do mito.

EURÍPIDES: Tragediógrafo ático, um dos três maiores dramaturgos da Antiguidade, ao lado de Ésquilo e Sófocles. Nasceu em Salamina, por volta de 480 a.C., e morreu na Macedônia, em 406 a.C. Escreveu entre oitenta e noventa peças, de que sobreviveram dezenove (dezoito tragédias e um drama satírico).

FEBO: Epiclese apolínea que significaria originalmente "O Puro" e se entendia também como "Esplêndido".

FILOCTETO: Herói grego do ciclo épico de Troia, herdeiro do arco e das flechas de Héracles. Antigo pretendente de Helena, aliou-se à expedição chefiada por Agamêmnon contra os troianos, mas, ferido no pé por uma serpente, foi abandonado pelos aliados em uma ilha (Tênedo ou Crise, segundo as variantes), e aí ficou a sofrer por dez anos. Sabendo, por um oráculo, que Troia não cairia sem o concurso de Filocteto, os gregos o fizeram buscar por Odisseu (e Neoptólemo, na versão sofocliana). O médico Macáon o curou, e ele participou da tomada de Troia. *Filocteto* é uma das tragédias de Sófocles.

FRÍNICO: Dramaturgo ateniense, de cujas peças restam apenas alguns framentos. *Floruit circa* 512-476 a.C.

HADES: O senhor dos infernos, irmão de ZEUS e POSÍDON, com quem compõe a trindade dos soberanos do universo. Coube-lhe em sorte o reino dos mortos, também chamado por seu nome. Filho de Cronos e Reia, esposo de Perséfone.

HÉLIO: O deus sol, um titã (divindade pré-olímpica), filho dos titãs Hipérion e Teia.

HERMES: Um dos olímpicos, o deus das passagens, mensageiro dos deuses, filho de ZEUS e de Maia.

HERÓDOTO: Historiador, "O Pai da História", como é chamado. *História* (em grego no pl. *Historiai*) é o nome da sua grande obra. Nasceu em Halicarnasso em 484 a.C. e faleceu em 425 a.C.

IOFONTE: Filho de Sófocles com sua esposa Nicóstrata. Tragediógrafo. Suas obras não sobreviveram à Antiguidade.

ÍON DE QUIOS: Poeta lírico grego, contemporâneo de Sófocles.

ISMENE: Filha de ÉDIPO e JOCASTA, de acordo com algumas versões, ou de ÉDIPO e EURIGÂNIA, de acordo com outras. Nome de uma fonte tebana.

ISMENO: Semideus tebano, filho de APOLO e da ninfa Mélia, pai de Dirce e Estrófia, que deram nome a duas fontes de Tebas.

JOCASTA: Filha de MENECEU, irmã de CREONTE, esposa de LAIO, mãe e esposa de ÉDIPO, com quem teve, segundo as variantes mais conhecidas do mito, os filhos ETÉOCLES, POLINICES, ANTÍGONE e ISMENE. Em Homero e em outras fontes tem o nome de Epicasta. Algumas versões dão como mãe dos quatro filhos de ÉDIPO acima citados uma sua segunda esposa, EURIGÂNIA.

KERES: Divindades funestas, agentes da morte. Ker, no singular, é um dos nomes da morte.

LÁBDACO: Neto de CADMO, filho de POLIDORO, pai de LAIO, avô de ÉDIPO. Rei mítico de Tebas.

LAIO: Primeiro marido de JOCASTA, pai de ÉDIPO, que o matou sem conhecer-lhe a identidade. Raptor de CRÍSIPO, foi por isso amaldiçoado por PÉLOPS.

LAMPROS: Músico grego, conteporâneo e mestre de Sófocles.

LOXIAS: "O Oblíquo", epíteto de APOLO, motivado pela linguagem tortuosa de seus oráculos.

MEDEIA: Princesa mítica, filha do rei Eetes da Cólquida, neta de HÉLIO. Protótipo das feiticeiras. Apaixonada por Jasão, ajudou-o na conquista do velo de ouro e fugiu com ele. Na tragédia de EURÍPIDES que tem seu nome, *Medeia*, quando Jasão a abandonou para casar-se com a filha do rei Creonte de Corinto, ela fez morrer a noiva do herói, com uma túnica envenenada que lhe presenteou. Em seguida Medeia matou os próprios filhos e fugiu voando num carro alado.

MÊNADES: As míticas acompanhantes do deus DIONISO — as bacantes, as mulheres possuídas por BACO no rito báquico.

MENECEU: Personagem da lenda tebana. Filho de Óclaso, pai de CREONTE e JOCASTA. Um seu neto, filho de CREONTE, teve também seu nome.

MÉROPE: Rainha mítica de Corinto, esposa de PÓLIBO, mãe adotiva de ÉDIPO. (Outras versões dão o nome de Peribeia à esposa de PÓLIBO).

NAUSÍCAA: Princesa mítica dos legendários feácios, filha de Alcínoo e Arete. Nome de uma tragédia (perdida) de Sófocles.

ORESTES: Herói mítico da legenda argiva, filho de Agamêmnon e Clitemnestra, cometeu matricídio para vingar o pai. Nome de uma tragédia de EURÍPIDES.

PAIAN: Deus curador sincretizado com APOLO.

PALAS: Um epíteto da deusa ATENA, também chamada Palas Atena.

PAN: Deus dos pastores e dos rebanhos, oriundo provavelmente da Arcádia, mas muito cultuado em toda a Grécia. Representado com uma figura semi-humana, semianimal (caprina). Dado como filho de HERMES.

PÉLOPS: Herói mítico, filho de Tântalo, vencedor de ENOMAU, esposo de Hipodâmia, fundador da dinastia pelópida, pai de Atreu e Tiestes, pai também de CRÍSIPO.

PÉRICLES: Grande estadista e general de Atenas, líder do partido democrático. Por meio da Confederação Délia, implantou, na verdade, o império ateniense. Governou a sua cidade no apogeu dela. Liderou-a também na maior parte da Guerra do Peloponeso, cujo termo, ocorrido após sua morte, marcou o fim da hegemonia ateniense. Alcmeônida, filho de Xantipo, nasceu por volta de 500 a.C. e faleceu em 429 a.C., vítima da peste. A época do esplendor de Atenas ficou sendo chamada o "século de Péricles".

PIRÍTOO: Herói tessálio, geralmente considerado filho de Ixião e Dia; esposo de Hipodâmia. Protagonista na luta entre os lápitas e os centauros (que tentaram violar Hipodâmia em suas bodas e raptar todas as mulheres presentes). Teseu teria participado desse combate, apoiando os lápitas. Era proverbial a amizade entre os dois heróis. Eles teriam jurado ajudar um ao outro a conseguir uma filha de ZEUS para esposa. Pirítoo ajudou Teseu no rapto de Helena; Teseu apoiou Pirítoo na tentativa de raptar Perséfone, a rainha dos mortos, esposa de HADES, nos infernos. Por castigo, ficaram os dois no reino infernal assentados a uma tocha de que não conseguiram se desprender. Héracles libertou Teseu, mas quando tentava livrar Pirítoo a terra tremeu, e o Alcides se deu conta de que o destino se opunha a essa libertação.

PISANDRO: A identificação do Pisandro a que se refere o escólio ao v. 1760 de *As fenícias*, de EURÍPIDES, é assunto polêmico. Alguns, como Marie Delcourt (1981), acham que provavelmente se trata do poeta Pisandro de Laranda, conhecido por meio de uma glosa do Suidas e algumas citações esparsas. A este se atribui uma história do mundo em versos, em cinquenta livros, principiando como o relato das núpcias de Hera; ele teria escrito também em prosa. Jacoby (1923:I:494) acredita que se trata de um outro autor, um mitógrafo, de origem e época desconhecidas.

PÓLIBO: Mítico rei de Corinto, pai adotivo de ÉDIPO.

POLIDORO: Herói mítico, filho de CADMO. Desposou Nicteide, de quem teve LÁBDACO (o pai de LAIO e avô de ÉDIPO).

POLIGNOTO: Pintor grego de Tasos, *floruit circa* 475-445 a.C.

POLINICES: filho de ÉDIPO e JOCASTA (ou de ÉDIPO e EURIGÂNIA). Irmão gêmeo de ETÉOCLES, de quem se tornou inimigo na disputa do trono de Tebas, na sucessão do pai, vindo os dois a matar-se um ao outro num duelo às portas de Tebas.

POSÍDON: Um dos maiores deuses olímpicos, irmão de ZEUS e de HADES, com quem forma a trindade dos soberanos do mundo, cabendo-lhe o império do mar. Filho de Cronos e Reia, esposo da nereida ANFITRITE.

TAMÍRIS: Músico mítico, famoso por sua beleza e arte. Dizia-se que aprendera a tocar a lira com o próprio Lino (filho de APOLO) e que foi mestre de Homero. Reza o mito que ele desafiou as Musas. Foi derrotado, e as Deusas o cegaram como castigo por sua pretensão. Nome de uma peça (perdida) de Sófocles.

TIRÉSIAS: O grande adivinho da legenda tebana. Ficou cego, segundo uma tradição, por ter visto PALAS ATENA nua. Outros diziam que Hera o cegou, mas ZEUS deu-lhe o dom profético para compensar, quando ele arbitrou uma disputa entre os soberanos do deuses. Contava-se que, tendo visto e separado a cópula de duas serpentes, matando a fêmea tornou-se mulher; dez anos depois matou o macho e voltou ao sexo masculino. Sacerdote dedicado a APOLO.

TUCÍDIDES: Historiador ateniense, viveu por volta de 460 a 400 a.C. Escreveu uma História da Guerra do Peloponeso.

ZEUS: O soberano dos deuses da mitologia helênica.

II. Topônimos e Monumentos

ABAS: Famoso santuário de Apolo, na Fócida.

ATENAS: Antiga cidade-Estado grega, uma das mais importantes, a principal da Ática. Atenas é hoje a capital da Grécia.

ÁTICA: Região montanhosa que forma o promontório suleste da Grécia central, com cerca de 2.600 km de superfície. Aí se acha a cidade de Atenas, que já na Antiguidade era a principal urbe da região.

BEÓCIA: Território a noroeste da Ática, no qual se situava Tebas, a mais importante cidade-Estado dessa região.

CILENE: Monte da Arcádia onde se dizia que nascera o deus Hermes.

CITERÃO: Montanha situada entre a Ática e a Beócia.

COLONO: Distrito de Atenas, onde nasceu Sófocles. Segundo uma tradição poetizada por Sófocles, em Colono, no Bosque das Eumênides, Édipo teria desaparecido, penetrando no mundo subterrâneo.

CORINTO: Antiga cidade-Estado grega, situada no Istmo.

DÁULIA: Antiga cidade-Estado grega, situada na Fócida.

DELFOS: Cidade da Fócida, célebre por seus templos e principalmente pelo oráculo de Apolo ali instalado na base de uma alta escarpa rochosa, no contraforte sudoeste do Monte Parnaso.

DELOS: Pequena ilha do mar Egeu, no meio das Cíclades. Rezava a tradição que aí nasceram Apolo e Ártemis. Importante centro do culto dessas divindades.

EPIDAURO: Cidade da Argólida, principal centro do culto de Asclépio.

FÓCIDA: Região da Grécia, entre a Beócia e a Etólia.

HELICON: Monte da Beócia, considerado predileto de Apolo e das Musas.

ISTRO: Antigo nome do Danúbio.

LÍCIA: Região da Ásia Menor.

OLÍMPIA: Planície ao norte do Rio Alfeu, na Élide, um dos maiores centros religiosos da Grécia, onde havia famosos santuários de Zeus e Hera.

OLIMPO: A maior montanha da Grécia, junto à divisa Macedônia-Tessália, na costa do Egeu. Considerada a morada dos deuses na mitologia helênica.

ÓMPHALOS: Bloco de pedra cônico, no interior do santuário de Delfos, considerado o centro da Terra, o umbigo da Terra.

PARNASO: Montanha da Fócida, consagrada a Apolo e às Musas.

PITO: Antigo nome de Delfos.

PÓTNIAS: Antiga cidade grega, próxima a Tebas, na Beócia.

STOÁ POIKÍLE: *Stoá* designa uma colunata, geralmente coberta e com uma parede de cada lado, erigida nas imediações de templos ou ginásios, ou na ágora (a praça do mercado). A *Stoá Poikíle*, ou seja, a Colunata Pintada que se achava na ágora de Atenas era adornada com afrescos de artistas famosos.

TEBAS: Cidade-Estado grega, a principal da Beócia.

III. Termos Técnicos da Tragédia e outros

AGÓN: Embora este termo possa também significar uma peça de teatro ou, ainda, o processo da representação, de um modo mais específico designa um trecho ou episódio de uma tragédia no qual se dá uma disputa verbal entre antagonistas.

ANAGNÓRISIS: Ao pé da letra, "reconhecimento". Segundo Aristóteles, constitui fator da "ação complexa", que deve articular-se com a peripécia (v. *Poética*, Cap. II, 1412 a 14 sq.). Aristóteles diz ibidem (1452 a 33) que "A mais bela forma de reconhecimento é a que se dá junto com a peripécia, como, por exemplo, no *Édipo*". (Cit. da trad. de Eudoro de Sousa, 1966.)

ANTÍSTROFE: Ao pé da letra, "contravolta". Designa uma evolução do coro e a récita correspondente.

CORIFEU: O cabeça do coro.

ÉDIPODIA: Poema épico do ciclo tebano, perdido, atribuído a Cinetão. Resta um fragmento (dois versos) num escólio ao verso 1760 de *As fenícias*, de Eurípides, no Codex Monacensis 560.

EPISÓDIO: Na definição de Aristóteles (*Poética*, cap. XII), "é uma parte completa das tragédias entre dois corais".

ESTÁSIMO: Canto coral da tragédia, executado entre os episódios — "um coral desprovido de anapestos e troqueus" (Arist. *Poética*, Cap. XII).

ESTROFE: Ao pé da letra, "volta". Designa uma evolução do coro e a récita correspondente.

ÊXODO: Ao pé da letra, "saída". Como diz Aristóteles (*Poética*, Cap. XII) ,"uma parte completa [da tragédia] à qual não sucede canto do coro".

HÝBRIS: Soberba, desmesura, transgressão do limite humano, excesso que rompe a ordem e acarreta por necessidade o sofrimento, requer expiação.

KÓMMOS: Na definição aristotélica (*Poética*, Cap. XII) "é um canto lamentoso da orquestra e da cena ao mesmo tempo".

PÁRODO: Ao pé da letra, "entrada". Canto do coro ao entrar em cena; primeiro canto coral da tragédia.

PÉANO (ou Peã): Canto de invocação e súplica aos deuses.

PERIPÉCIA: "A mutação dos sucessos ao contrário" (cf. Arist. *Poética,* Cap. XII, 1452 a 22).

PHÓNOS DÍKAIOS: Homicídio justificado; figura do direito ático.

PRÓBULO: Membro de um conselho supremo, em Atenas.

PRÓLOGO: Segundo a definição de Aristóteles (*Poética*, Cap. XII, 1452 b 18) "é uma parte completa da tragédia, que precede a entrada do coro".

❖

Bibliografia

AÉLION, R.
　　1983. Euripide héritier d'Eschylle. Paris: Les Belles Lettres.
ALAMILLO, A. (trad.).
　　1986. Sófocles. Tragedias. Madrid: Gredos.
ANZIEU, D.
　　1966. "Oedipe avant le complexe ou de l'interprétation psychanalitique des mythes." Temps Modernes, 245:675-715. Paris, oct.
BEAZLEY, J. D.
　　1963. Attic Red-Figure Vase Painters. Oxford: Clarendon Press.
　　1973. Paralipomena. Oxford: Clarendon Press.
BOLLACK, J.
　　1990. L'Oedipe Roi de Sophocle. Lille.
　　1995. La naissance d'Oedipe. Paris: Gallimard.
BOMMELAER, J. F.; LAROCHE, D.
　　1991. Guide de Delphes. Le site. École Française d'Athènes, E. de Boccard.
BOMPAIRE, J.
　　1976. "Le mythe selon la Poétique d'Aristote". In: Formation et Survie des Mythes. Travaux et Mémoires. Colloque de Nanterre, 19-20 avril 1974. Paris: Les Belles Lettres.
BOWRA, C. M.
　　1944. Sophoclean Tragedy. Oxford: Clarendon Press.
BRANDÃO, J. L.
　　1984. "Por que Édipo?" In: J. L. Brandão (org.): O Enigma em Édipo Rei. Belo Horizonte: CNPQ-UFMG.
BRUNA, J. (trad.).
　　1964. O teatro grego.(Rei Édipo). São Paulo: Cultrix. p. 43-68.

BURKERT, W.
   1993. Religião grega na época clássica e arcaica. Lisboa: Fundação Calouste Gulbenkian.
CABRAL, L. A. M.
   2004. O Hino Homérico a Apolo. Campinas, Editora da Unicamp.
CAMERON, A.
   1986. The Identity of Oedipus The King. Five Essays on the Oedipus Tyrannus. New York: New York University Press; London: University of London Press Limited.
CAREY, C. 1986. "The second stasimon of Sophocles' Oedipus Tyranus." The Journal of Hellenic Studies CVI :175-9. London.
DAWE, R. D.
   1975. Sophocles. Tragoediae I. Leipzig: Teubner.
   1982. Sophocles. Oedipus Rex. Cambridge University Press.
DAIN, A. & MAZON, P.
   1981."Oedipe Roi." Sophocle. T. II . Paris: Les Belles Lettres.
DELCOURT, M.
   1981. Oedipe ou la légende du Conquérant. Paris, Les B. Lettres.
DETIENNE, M. & VERNANT, J. P.
   1983. "La Course d'Antiloque." Les ruses de l'intelligence: la mètis des grecs. Paris: Flammarion.
DI BENEDETTO, V.
   1983. Sofocle. Firenze: La Nuova Italia Editrice.
DINDORF, W. (ed.).
   1860. Sophoclis Tragoediae: superstites et deperditarum fragmenta. Oxford University Press.
DINDORF, W., AHRENS, E. A. I. et al.
   1877. Aískhyllos kaì Sóphokles. Aischylii et Sophoclis Tragoediae et Fragmenta. Paris: Firmin-Didot.
DODDS, E. R.
   1983. "On Misunderstanding the Oedipus Rex." In: SEGAL, E. (ed.): Oxford Readings in Greek Tragedy. Oxford University Press.
DOUGLAS, M.
   1983. Pureza e Perigo. São Paulo: Perspectiva.
DOUGLAS, O.
   1989. "On the text of Sophocles Oedipus Tyrannus 1524-30." Phoenix, XLIII: 21-34. Toronto.
EHRENBERG, V.
   1954. Sophocles and Pericles. Oxford: Clarendon Press.

ERRANDÓNEA, I.
 1952. El Estasimo Segundo del Édipo Rey de Sofocles. Buenos Aires: Universidad Nacional de la Ciudad de Eva Perón: Editorial Losada.
 1959. Sófocles. Tragedias. Barcelona: Alma Mater, 199.

FIALHO, M. do Céu Z.
 1992. Sófocles. Rei Édipo. Lisboa: Edições 70.

FREUD, S.
 1980. A Interpretação dos Sonhos. Obras Psicológicas Completas de Sigmund Freud. Edição Standard Brasileira, vols. 4/5. Rio de Janeiro: Imago Editora.

FRITZ, K. von.
 1962. "Tragische Schuld und poetische Gerchtigkeit in der Griechischen Tragödie". Antike und Moderne Tragödie. Berlin.

GAMA KURY, M. da.
 1991. Sófocles: A Trilogia Tebana: Édipo Rei - Édipo em Colono - Antígona. Rio de Janeiro, Zahar. p. 19-99.

GELLIE, G. H.
 1972. Sophocles: A Reading. Melbourne: Melbourne University Press.

GERNET, L.
 1986. Anthropologie de la Grèce Antique. Paris: Maspéro.

GOULD, J.
 1989. "Tragedy in performance." In: P. E. EASTERLING; B. M. W. KNOX (eds.).The Cambridge History of Classical Literature. I:2. Greek Drama. Cambridge University Press.

GREEN, A.
 1968. "Oedipe, Mythe et Verité." L'Arc, 34. Aix en Provence.

GREIFFENHAGEN, G.
 1966. "Der Prozess des Ödipus. Strafrechtliche und strafprozessuale Bemerkungen zur Interpretation des Oedipus Rex des Sophokles." Hermes, 94: 147-76. Wiesbaden: Steiner.

HENRY, A. S.
 1967. "Sophocles Oedipus Tyrannus: The Interpretation of the Opening Scene and the text of 1.18." Classical Quarterly, 17: 48-51.

HÖLDERLIN, F.
 1965. "Oedipus der Tyran." Hölderlin Samtliche Werke, herausgegebene von Friedrich Beissner. Fünfer Band — Übersetzungen. Stuttgart: W. Kohlhammer Verlag.

1965a. "Anmerkungen zum Oedipus." Hölderlin Samtliche Werke, herausgegebene von Friedrich Beissner. Fünfer Band - Übersetzungen. Stuttgart: W. Kohlhammer Verlag.

HUGH, A.

1872."Der Döppelsinn in Oedipus König." Philologus, 31:66-84. Berlin.

JEBB, Sir R. C.

1952. "The Plays of Sofocles. Oedipus the King." In: R. M. Hutchinson (editor in chief): Aeschillus - Sophocles - Euripides - Aristophanes. Great Books of the Western World, vol 5. Chicago / London / Toronto / Geneva: Encyclopaedia Britannica, Inc., 1952. p. 99-113.

KAMERBEEK, J. C.

1967. Plays of Sofocles. Commentaries IV. Leiden: E. J. Brill.

KIRKWOOD, G. M.

1996. A study of sophoclean drama. Ithaca / London.

KITTO, H. D. F.

1990. A Tragédia Grega. Coimbra: Armênio Amado Editora.

KNOX, B. M. W.

1971. Oedipus at Thebes. New York: The Norton Library.

1979. "The Date of the Oedipus Tyrannus." Word and Action. Essays on the Ancient Theater. Baltimore and London: The John Hopkins University Press.

KRAUSKOPF, I.

1987. "Edipo nell'arte antica." In: B. Gentilli & R. Prestagostini (eds.): Edipo. Il teatro greco e la cultura europea. Roma: Ateneo. p. 327-341.

LÉVI-STRAUSS, C.

1985. La Potière Jalouse. Paris: Plon.

LLOYD-JONES, H. & WILSON, N. G.

1990. Sophoclis Fabulae. Oxford University Press.

MORET, J.-M.

1984. Oedipe, la Sphynx et les Thébains. Essai de Mythologie Iconographique. Institut Suisse de Rome.

OPSTELTEN, J. P. Sophocles and Greek Pessimism. Amsterdam: North-Holland Publ. Co.

POPE, M.

1991. "Addressing Oedipus". Greece & Rome XXXVIII: 2, October.

REINHARDT, K.
1960. Tradition und Geist. Gesammelte Essays zur Dichtung. Göttingen: Vandenhoeck & Ruprecht.
1971. Sophocle. Paris: Éditions de Minuit.
ROISSMAN, H. M.
2003. Teiresias, the seer of Oedipus the King: Sophocles and Seneca's versions. Leeds International Classical Studies, 2.5. http://www.leeds.ac.uk/classics/lics/
SAÏD, S.
1978. La Faute Tragique. Paris: Maspéro.
SCHEFOLD, K. & JUNG, F.
1989. Die Sagen von den Argonauten, von Theben und Troia in der klassischen und hellenistichen Kunst. München: Himmer Verlag.
SCHMIDT, W. & STÄHLIN, O.
1934. Geschichte der Griechische Literatur. Erster Teil. Zweite Band. München: C. H. Beck'sche Verlagsbuchhandlungen.
SCHNEIDEWIN, F. W. & NAUCK, A.
1970. Sophokles II. König Oedipus. Zusammengestellt von E. Bruhn. Berlin.
SEGAL, C.
1987. La Musique du Sphynx: poésie et structure dans la tragédie grecque. Paris: Éditions La Découverte.
1995. Sophocles' Tragic World: Divinity, Nature, Society. Cambridge, MA; London: Harvard University Press.
2001. Oedipus Tyrannus: Tragic Heroism and the Limits of Knowledge. New York, Oxford: Oxford University Press.
SERRA, G.
1994. Edipo e la peste. Venezia: Marsilio.
SERRA, O.
1986. "Nota sobre uma versão desprezada do mito de Édipo." Universitas, 37, 53-61, jul-set.
1994 /1995. "Olhos de Inferno: A Morte no *Rei Édipo* de Sófocles." Classica, São Paulo, 7/8, 75-82.
2005. "À luz da tragédia: Édipo e o apotropaico." Mana 11 (2):545-270.
2007. O reinado de Édipo. Brasília: EDUNB.
SIDWELL, K.
1992. "The argument of the second stasimon of the Oedipus Tyrannus." JHS, vol. CVII.

SONTAG, S.
　　1987. Contra a interpretação. Porto Alegre: LP&M.
SOUSA, E. de.
　　1966. Aristóteles. Poética. Porto Alegre: Editora Globo.
STORR, F.
　　1956. Sophocles. London: William Heinemann Ltd.
TAPLIN, O.
　　1983. "Sophocles in his Theater." Entretiens de la Fondation Hardt. Genève: Fondation Hardt.
TOURNIER, E.
　　1866. Les Tragédies de Sophocle. Paris: Hachette.
TRENDALL, A. D. & WEBSTER, T. B. L.
　　1971. Illustrations of Greek Drama. London: Phaidon.
VANSINNA, J.
　　1955. "Initiation Rituals of the Bushong." Africa, 25:138-152.
VERNANT, J.-P.
　　1972. "Ambiguité et Renversement. Sur la structure énigmatique d'Oedipe-Roi." In: Vernant, J.-P. & Vidal-Naquet, P. Mythe et Tragédie en Grèce Ancienne. Paris: Maspéro. p. 99-131.
　　1972a. "Oedipe sans complexe." In: Vernant, J.-P. & Vidal-Naquet, P. Mythe et Tragédie en Grèce Ancienne. Paris: Maspéro. p. 99-131.
VIEIRA, T.
　　2007. Édipo Rei de Sófocles. São Paulo: Perspectiva.
WEBSTER, T. B. L.
　　1936. Sophocles. Oxford: Clarendon Press.
WHATELET, P.
　　1992. "Arès chez Homère ou le dieu mal aimé." Les Études Classiques, t. LX, n. 2: 113-1198. Namur.
WILLAMOWITZ-MÖLLENDORF, U. von.
　　1889. "Exkurse zur Oedipus der Sophokles." Hermes, XXIV: 59-74. Wiesbaden.
WINNINGTON-INGRAM, R. P.
　　1980. Sophocles. An Interpretation. Cambridge University Press, 1980.

Obras de referência:

CHANTRAINE, P.
    1990. Dictionnaire Étymologique de la Langue Grecque. Paris: Klimcksieck, 1990.
CORONA, E.; LEMOS, C. A. C.
    1972. Dicionário da Arquitetura Brasileira. São Paulo: Edart.
CUNHA, A. G. da.
    1982. Dicionário Etimológico Nova Fronteira da Língua Portuguesa. Rio de Janeiro: Nova Fronteira.
ELLENDT, F. & GENTHE, H.
    1958. Lexikon Sophocleum. Hildesheim: Georg Olms Verlagsbuchhandlung.
HOLANDA FERREIRA, A. B. de.
    1975. Novo Dicionário da Língua Portuguesa. Rio de Janeiro: Nova Fronteira.
HOUAISS, A.; VILLAR, M. de S.
    2001. Dicionário Houaiss da Língua Portuguesa. Rio de Janeiro: Objetiva.
LEXICON ICONOGRAPHICUM MYTHOLOGIAE CLASSICAE.
    Zürich-München: Artemis Verlag, 1981.
LIDDEL, H. G., SCOTT, R. & JONES, H. S. et alii.
    1996. A Greek-English Lexikon. Oxford: Clarendon Press.

❖

Sobre o tradutor

Ordep Serra é Professor Adjunto IV na Universidade Federal da Bahia (Faculdade de Filosofia e Ciências Humanas), Doutor em Antropologia pela USP, com estágio na EHESS (Centre Louis Gernet), autor de doze obras e de vários artigos sobre temas de antropologia, literatura, estudos clássicos. Começou sua carreira universitária como professor de Língua Grega na UNB. Traduziu do inglês e do alemão obras de consagrados helenistas como Havelock, Kerényi, Walter Otto; traduziu também do grego clássico textos literários, como o Hino Homérico II e o Hino Homérico IV. Já recebeu dois prêmios nacionais de literatura por obras de ficção (contos). É membro da Associação Brasileira de Antropologia, da Sociedade Brasileira de Estudos Clássicos e da SBPC.

❖

Relação dos Volumes Publicados

1. **Dom Casmurro**
   Machado de Assis
2. **O Príncipe**
   Maquiavel
3. **Mensagem**
   Fernando Pessoa
4. **O Lobo do Mar**
   Jack London
5. **A Arte da Prudência**
   Baltasar Gracián
6. **Iracema / Cinco Minutos**
   José de Alencar
7. **Inocência**
   Visconde de Taunay
8. **A Mulher de 30 Anos**
   Honoré de Balzac
9. **A Moreninha**
   Joaquim Manuel de Macedo
10. **A Escrava Isaura**
    Bernardo Guimarães
11. **As Viagens - "Il Milione"**
    Marco Polo
12. **O Retrato de Dorian Gray**
    Oscar Wilde
13. **A Volta ao Mundo em 80 Dias**
    Júlio Verne
14. **A Carne**
    Júlio Ribeiro
15. **Amor de Perdição**
    Camilo Castelo Branco
16. **Sonetos**
    Luís de Camões
17. **O Guarani**
    José de Alencar
18. **Memórias Póstumas de Brás Cubas**
    Machado de Assis
19. **Lira dos Vinte Anos**
    Álvares de Azevedo
20. **Apologia de Sócrates / Banquete**
    Platão
21. **A Metamorfose/Um Artista da Fome/Carta a Meu Pai**
    Franz Kafka
22. **Assim Falou Zaratustra**
    Friedrich Nietzsche
23. **Triste Fim de Policarpo Quaresma**
    Lima Barreto
24. **A Ilustre Casa de Ramires**
    Eça de Queirós
25. **Memórias de um Sargento de Milícias**
    Manuel Antônio de Almeida
26. **Robinson Crusoé**
    Daniel Defoe
27. **Espumas Flutuantes**
    Castro Alves
28. **O Ateneu**
    Raul Pompeia
29. **O Noviço / O Juiz de Paz da Roça / Quem Casa Quer Casa**
    Martins Pena
30. **A Relíquia**
    Eça de Queirós
31. **O Jogador**
    Dostoiévski
32. **Histórias Extraordinárias**
    Edgar Allan Poe
33. **Os Lusíadas**
    Luís de Camões
34. **As Aventuras de Tom Sawyer**
    Mark Twain
35. **Bola de Sebo e Outros Contos**
    Guy de Maupassant
36. **A República**
    Platão
37. **Elogio da Loucura**
    Erasmo de Rotterdam
38. **Caninos Brancos**
    Jack London
39. **Hamlet**
    William Shakespeare
40. **A Utopia**
    Thomas More
41. **O Processo**
    Franz Kafka
42. **O Médico e o Monstro**
    Robert Louis Stevenson
43. **Ecce Homo**
    Friedrich Nietzsche
44. **O Manifesto do Partido Comunista**
    Marx e Engels
45. **Discurso do Método / Regras para a Direção do Espírito**
    René Descartes
46. **Do Contrato Social**
    Jean-Jacques Rousseau
47. **A Luta pelo Direito**
    Rudolf von Ihering
48. **Dos Delitos e das Penas**
    Cesare Beccaria
49. **A Ética Protestante e o Espírito do Capitalismo**
    Max Weber
50. **O Anticristo**
    Friedrich Nietzsche
51. **Os Sofrimentos do Jovem Werther**
    Goethe
52. **As Flores do Mal**
    Charles Baudelaire
53. **Ética a Nicômaco**
    Aristóteles
54. **A Arte da Guerra**
    Sun Tzu
55. **Imitação de Cristo**
    Tomás de Kempis
56. **Cândido ou o Otimismo**
    Voltaire
57. **Rei Lear**
    William Shakespeare
58. **Frankenstein**
    Mary Shelley
59. **Quincas Borba**
    Machado de Assis
60. **Fedro**
    Platão
61. **Política**
    Aristóteles
62. **A Viuvinha / Encarnação**
    José de Alencar
63. **As Regras do Método Sociológico**
    Émile Durkheim
64. **O Cão dos Baskervilles**
    Sir Arthur Conan Doyle
65. **Contos Escolhidos**
    Machado de Assis
66. **Da Morte / Metafísica do Amor / Do Sofrimento do Mundo**
    Arthur Schopenhauer
67. **As Minas do Rei Salomão**
    Henry Rider Haggard
68. **Manuscritos Econômico-Filosóficos**
    Karl Marx
69. **Um Estudo em Vermelho**
    Sir Arthur Conan Doyle
70. **Meditações**
    Marco Aurélio
71. **A Vida das Abelhas**
    Maurice Materlinck
72. **O Cortiço**
    Aluísio Azevedo
73. **Senhora**
    José de Alencar
74. **Brás, Bexiga e Barra Funda / Laranja da China**
    Antônio de Alcântara Machado
75. **Eugênia Grandet**
    Honoré de Balzac
76. **Contos Gauchescos**
    João Simões Lopes Neto
77. **Esaú e Jacó**
    Machado de Assis
78. **O Desespero Humano**
    Sören Kierkegaard
79. **Dos Deveres**
    Cícero
80. **Ciência e Política**
    Max Weber
81. **Satíricon**
    Petrônio
82. **Eu e Outras Poesias**
    Augusto dos Anjos
83. **Farsa de Inês Pereira / Auto da Barca do Inferno / Auto da Alma**
    Gil Vicente
84. **A Desobediência Civil e Outros Escritos**
    Henry David Toreau
85. **Para Além do Bem e do Mal**
    Friedrich Nietzsche
86. **A Ilha do Tesouro**
    R. Louis Stevenson
87. **Marília de Dirceu**
    Tomás A. Gonzaga
88. **As Aventuras de Pinóquio**
    Carlo Collodi
89. **Segundo Tratado Sobre o Governo**
    John Locke
90. **Amor de Salvação**
    Camilo Castelo Branco
91. **Broquéis/Faróis/ Últimos Sonetos**
    Cruz e Souza
92. **I-Juca-Pirama / Os Timbiras / Outros Poemas**
    Gonçalves Dias
93. **Romeu e Julieta**
    William Shakespeare
94. **A Capital Federal**
    Arthur Azevedo
95. **Diário de um Sedutor**
    Sören Kierkegaard
96. **Carta de Pero Vaz de Caminha a El-Rei Sobre o Achamento do Brasil**
97. **Casa de Pensão**
    Aluísio Azevedo
98. **Macbeth**
    William Shakespeare

99. **Édipo Rei/Antígona**
    Sófocles
100. **Lucíola**
    José de Alencar
101. **As Aventuras de Sherlock Holmes**
    Sir Arthur Conan Doyle
102. **Bom-Crioulo**
    Adolfo Caminha
103. **Helena**
    Machado de Assis
104. **Poemas Satíricos**
    Gregório de Matos
105. **Escritos Políticos / A Arte da Guerra**
    Maquiavel
106. **Ubirajara**
    José de Alencar
107. **Diva**
    José de Alencar
108. **Eurico, o Presbítero**
    Alexandre Herculano
109. **Os Melhores Contos**
    Lima Barreto
110. **A Luneta Mágica**
    Joaquim Manuel de Macedo
111. **Fundamentação da Metafísica dos Costumes e Outros Escritos**
    Immanuel Kant
112. **O Príncipe e o Mendigo**
    Mark Twain
113. **O Domínio de Si Mesmo pela Auto-Sugestão Consciente**
    Émile Coué
114. **O Mulato**
    Aluísio Azevedo
115. **Sonetos**
    Florbela Espanca
116. **Uma Estadia no Inferno / Poemas / Carta do Vidente**
    Arthur Rimbaud
117. **Várias Histórias**
    Machado de Assis
118. **Fédon**
    Platão
119. **Poesias**
    Olavo Bilac
120. **A Conduta para a Vida**
    Ralph Waldo Emerson
121. **O Livro Vermelho**
    Mao Tsé-Tung
122. **Oração aos Moços**
    Rui Barbosa
123. **Otelo, o Mouro de Veneza**
    William Shakespeare
124. **Ensaios**
    Ralph Waldo Emerson
125. **De Profundis / Balada do Cárcere de Reading**
    Oscar Wilde
126. **Crítica da Razão Prática**
    Immanuel Kant
127. **A Arte de Amar**
    Ovídio Naso
128. **O Tartufo ou O Impostor**
    Molière
129. **Metamorfoses**
    Ovídio Naso
130. **A Gaia Ciência**
    Friedrich Nietzsche
131. **O Doente Imaginário**
    Molière
132. **Uma Lágrima de Mulher**
    Aluísio Azevedo
133. **O Último Adeus de Sherlock Holmes**
    Sir Arthur Conan Doyle
134. **Canudos - Diário de Uma Expedição**
    Euclides da Cunha
135. **A Doutrina de Buda**
    Siddharta Gautama
136. **Tao Te Ching**
    Lao-Tsé
137. **Da Monarquia / Vida Nova**
    Dante Alighieri
138. **A Brasileira de Prazins**
    Camilo Castelo Branco
139. **O Velho da Horta/Quem Tem Farelos?/Auto da Índia**
    Gil Vicente
140. **O Seminarista**
    Bernardo Guimarães
141. **O Alienista / Casa Velha**
    Machado de Assis
142. **Sonetos**
    Manuel du Bocage
143. **O Mandarim**
    Eça de Queirós
144. **Noite na Taverna / Macário**
    Álvares de Azevedo
145. **Viagens na Minha Terra**
    Almeida Garrett
146. **Sermões Escolhidos**
    Padre Antonio Vieira
147. **Os Escravos**
    Castro Alves
148. **O Demônio Familiar**
    José de Alencar
149. **A Mandrágora / Belfagor, o Arquidiabo**
    Maquiavel
150. **O Homem**
    Aluísio Azevedo
151. **Arte Poética**
    Aristóteles
152. **A Megera Domada**
    William Shakespeare
153. **Alceste/Electra/Hipólito**
    Eurípedes
154. **O Sermão da Montanha**
    Huberto Rohden
155. **O Cabeleira**
    Franklin Távora
156. **Rubáiyát**
    Omar Khayyám
157. **Luzia-Homem**
    Domingos Olímpio
158. **A Cidade e as Serras**
    Eça de Queirós
159. **A Retirada da Laguna**
    Visconde de Taunay
160. **A Viagem ao Centro da Terra**
    Júlio Verne
161. **Caramuru**
    Frei Santa Rita Durão
162. **Clara dos Anjos**
    Lima Barreto
163. **Memorial de Aires**
    Machado de Assis
164. **Bhagavad Gita**
    Krishna
165. **O Profeta**
    Khalil Gibran
166. **Aforismos**
    Hipócrates
167. **Kama Sutra**
    Vatsyayana
168. **Histórias de Mowgli**
    Rudyard Kipling
169. **De Alma para Alma**
    Huberto Rohden
170. **Orações**
    Cícero
171. **Sabedoria das Parábolas**
    Huberto Rohden
172. **Salomé**
    Oscar Wilde
173. **Do Cidadão**
    Thomas Hobbes
174. **Porque Sofremos**
    Huberto Rohden
175. **Einstein: o Enigma do Universo**
    Huberto Rohden
176. **A Mensagem Viva do Cristo**
    Huberto Rohden
177. **Mahatma Gandhi**
    Huberto Rohden
178. **A Cidade do Sol**
    Tommaso Campanella
179. **Setas para o Infinito**
    Huberto Rohden
180. **A Voz do Silêncio**
    Helena Blavatsky
181. **Frei Luís de Sousa**
    Almeida Garrett
182. **Fábulas**
    Esopo
183. **Cântico de Natal / Os Carrilhões**
    Charles Dickens
184. **Contos**
    Eça de Queirós
185. **O Pai Goriot**
    Honoré de Balzac
186. **Noites Brancas e Outras Histórias**
    Dostoiévski
187. **Minha Formação**
    Joaquim Nabuco
188. **Pragmatismo**
    William James
189. **Discursos Forenses**
    Enrico Ferri
190. **Medeia**
    Eurípedes
191. **Discursos de Acusação**
    Enrico Ferri
192. **A Ideologia Alemã**
    Marx & Engels
193. **Prometeu Acorrentado**
    Ésquilo
194. **Iaiá Garcia**
    Machado de Assis
195. **Discursos no Instituto dos Advogados Brasileiros / Discurso no Colégio Anchieta**
    Rui Barbosa
196. **Édipo em Colono**
    Sófocles
197. **A Arte de Curar pelo Espírito**
    Joel S. Goldsmith
198. **Jesus, o Filho do Homem**
    Khalil Gibran
199. **Discurso sobre a Origem e os Fundamentos da Desigualdade entre os Homens**
    Jean-Jacques Rousseau
200. **Fábulas**
    La Fontaine
201. **O Sonho de uma Noite de Verão**
    William Shakespeare

202. **Maquiavel, o Poder**
Joseph Nivaldo Junior

203. **Ressurreição**
Machado de Assis

204. **O Caminho da Felicidade**
Huberto Rohden

205. **A Velhice do Padre Eterno**
Guerra Junqueiro

206. **O Sertanejo**
José de Alencar

207. **Gitanjali**
Rabindranath Tagore

208. **Senso Comum**
Thomas Paine

209. **Canaã**
Graça Aranha

210. **O Caminho Infinito**
Joel S. Goldsmith

211. **Pensamentos**
Epicuro

212. **A Letra Escarlate**
Nathaniel Hawthorne

213. **Autobiografia**
Benjamin Franklin

214. **Memórias de Sherlock Holmes**
Sir Arthur Conan Doyle

215. **O Dever do Advogado / Posse de Direitos Pessoais**
Rui Barbosa

216. **O Tronco do Ipê**
José de Alencar

217. **O Amante de Lady Chatterley**
D. H. Lawrence

218. **Contos Amazônicos**
Inglês de Souza

219. **A Tempestade**
William Shakespeare

220. **Ondas**
Euclides da Cunha

221. **Educação do Homem Integral**
Huberto Rohden

222. **Novos Rumos para a Educação**
Huberto Rohden

223. **Mulherzinhas**
Louise May Alcott

224. **A Mão e a Luva**
Machado de Assis

225. **A Morte de Ivan Ilicht / Senhores e Servos**
Leon Tolstói

226. **Álcoois e Outros Poemas**
Apollinaire

227. **Pais e Filhos**
Ivan Turguêniev

228. **Alice no País das Maravilhas**
Lewis Carroll

229. **À Margem da História**
Euclides da Cunha

230. **Viagem ao Brasil**
Hans Staden

231. **O Quinto Evangelho**
Tomé

232. **Lorde Jim**
Joseph Conrad

233. **Cartas Chilenas**
Tomás Antônio Gonzaga

234. **Odes Modernas**
Anntero de Quental

235. **Do Cativeiro Babilônico da Igreja**
Martinho Lutero

236. **O Coração das Trevas**
Joseph Conrad

237. **Thais**
Anatole France

238. **Andrômaca / Fedra**
Racine

239. **As Catilinárias**
Cícero

240. **Recordações da Casa dos Mortos**
Dostoiévski

241. **O Mercador de Veneza**
William Shakespeare

242. **A Filha do Capitão / A Dama de Espadas**
Aleksandr Púchkin

243. **Orgulho e Preconceito**
Jane Austen

244. **A Volta do Parafuso**
Henry James

245. **O Gaúcho**
José de Alencar

246. **Tristão e Isolda**
Lenda Medieval Celta de Amor

247. **Poemas Completos de Alberto Caeiro**
Fernando Pessoa

248. **Maiakóvski**
Vida e Poesia

249. **Sonetos**
William Shakespeare

250. **Poesia de Ricardo Reis**
Fernando Pessoa

251. **Papéis Avulsos**
Machado de Assis

252. **Contos Fluminenses**
Machado de Assis

253. **O Bobo**
Alexandre Herculano

254. **A Oração da Coroa**
Demóstenes

255. **O Castelo**
Franz Kafka

256. **O Trovejar do Silêncio**
Joel S. Goldsmith

257. **Alice na Casa dos Espelhos**
Lewis Carrol

258. **Miséria da Filosofia**
Karl Marx

259. **Júlio César**
William Shakespeare

260. **Antônio e Cleópatra**
William Shakespeare

261. **Filosofia da Arte**
Huberto Rohden

262. **A Alma Encantadora das Ruas**
João do Rio

263. **A Normalista**
Adolfo Caminha

264. **Pollyanna**
Eleanor H. Porter

265. **As Pupilas do Senhor Reitor**
Júlio Diniz

266. **As Primaveras**
Casimiro de Abreu

267. **Fundamentos do Direito**
Léon Duguit

268. **Discursos de Metafísica**
G. W. Leibniz

269. **Sociologia e Filosofiia**
Émile Durkheim

270. **Cancioneiro**
Fernando Pessoa

271. **A Dama das Camélias**
Alexandre Dumas (filho)

272. **O Divórcio / As Bases da Fé / e outros textos**
Rui Barbosa

273. **Pollyanna Moça**
Eleanor H. Porter

274. **O 18 Brumário de Luís Bonaparte**
Karl Marx

275. **Teatro de Machado de Assis**
Antologia

276. **Cartas Persas**
Montesquieu

277. **Em Comunhão com Deus**
Huberto Rohden

278. **Razão e Sensibilidade**
Jane Austen

279. **Crônicas Selecionadas**
Machado de Assis

280. **Histórias da Meia-Noite**
Machado de Assis

281. **Cyrano de Bergerac**
Edmond Rostand

282. **O Maravilhoso Mágico de Oz**
L. Frank Baum

283. **Trocando Olhares**
Florbela Espanca

284. **O Pensamento Filosófico da Antiguidade**
Huberto Rohden

285. **Filosofia Contemporânea**
Huberto Rohden

286. **O Espírito da Filosofia Oriental**
Huberto Rohden

287. **A Pele do Lobo / O Badejo / O Dote**
Artur Azevedo

288. **Os Bruzundangas**
Lima Barreto

289. **A Pata da Gazela**
José de Alencar

290. **O Vale do Terror**
Sir Arthur Conan Doyle

291. **O Signo dos Quatro**
Sir Arthur Conan Doyle

292. **As Máscaras do Destino**
Florbela Espanca

293. **A Confissão de Lúcio**
Mário de Sá-Carneiro

294. **Falenas**
Machado de Assis

295. **O Uraguai / A Declamação Trágica**
Basílio da Gama

296. **Crisálidas**
Machado de Assis

297. **Americanas**
Machado de Assis

298. **A Carteira de Meu Tio**
Joaquim Manuel de Macedo

299. **Catecismo da Filosofia**
Huberto Rohden

300. **Apologia de Sócrates**
Platão (Edição bilingue)

301. **Rumo à Consciência Cósmica**
Huberto Rohden

302. **Cosmoterapia**
Huberto Rohden

303. **Bodas de Sangue**
Federico García Lorca

304. **Discurso da Servidão Voluntária**
Étienne de La Boétie

305. **Categorias**
     Aristóteles
306. **Manon Lescaut**
     Abade Prévost
307. **Teogonia /
     Trabalho e Dias**
     Hesíodo
308. **As Vítimas-Algozes**
     Joaquim Manuel de Macedo
309. **Persuasão**
     Jane Austen
310. **Agostinho** - *Huberto Rohden*
311. **Roteiro Cósmico**
     Huberto Rohden
312. **A Queda dum Anjo**
     Camilo Castelo Branco
313. **O Cristo Cósmico e os
     Essênios** - *Huberto Rohden*
314. **Metafísica do Cristianismo**
     Huberto Rohden
315. **Rei Édipo** - *Sófocles*
316. **Livro dos Provérbios**
     Salomão
317. **Histórias de Horror**
     Howard Phillips Lovecraft
318. **O Ladrão de Casaca**
     Maurice Leblanc
319. **Til**
     José de Alencar

SÉRIE OURO
(Livros com mais de 400 p.)

1. **Leviatã**
   Thomas Hobbes
2. **A Cidade Antiga**
   Fustel de Coulanges
3. **Crítica da Razão Pura**
   Immanuel Kant
4. **Confissões**
   Santo Agostinho
5. **Os Sertões**
   Euclides da Cunha
6. **Dicionário Filosófico**
   Voltaire
7. **A Divina Comédia**
   Dante Alighieri
8. **Ética Demonstrada à
   Maneira dos Geômetras**
   Baruch de Spinoza
9. **Do Espírito das Leis**
   Montesquieu
10. **O Primo Basílio**
    Eça de Queirós
11. **O Crime do Padre Amaro**
    Eça de Queirós
12. **Crime e Castigo**
    Dostoiévski
13. **Fausto**
    Goethe
14. **O Suicídio**
    Émile Durkheim
15. **Odisseia**
    Homero
16. **Paraíso Perdido**
    John Milton
17. **Drácula**
    Bram Stoker
18. **Ilíada**
    Homero
19. **As Aventuras de
    Huckleberry Finn**
    Mark Twain
20. **Paulo – O 13º Apóstolo**
    Ernest Renan
21. **Eneida**
    Virgílio
22. **Pensamentos**
    Blaise Pascal
23. **A Origem das Espécies**
    Charles Darwin
24. **Vida de Jesus**
    Ernest Renan
25. **Moby Dick**
    Herman Melville
26. **Os Irmãos Karamazovi**
    Dostoiévski
27. **O Morro dos Ventos
    Uivantes**
    Emily Brontë
28. **Vinte Mil Léguas
    Submarinas**
    Júlio Verne
29. **Madame Bovary**
    Gustave Flaubert
30. **O Vermelho e o Negro**
    Stendhal
31. **Os Trabalhadores do Mar**
    Victor Hugo
32. **A Vida dos Doze Césares**
    Suetônio
33. **O Moço Loiro**
    Joaquim Manuel de Macedo
34. **O Idiota**
    Dostoiévski
35. **Paulo de Tarso**
    Huberto Rohden
36. **O Peregrino**
    John Bunyan
37. **As Profecias**
    Nostradamus
38. **Novo Testamento**
    Huberto Rohden
39. **O Corcunda de Notre Dame**
    Victor Hugo
40. **Arte de Furtar**
    Anônimo do século XVII
41. **Germinal**
    Émile Zola
42. **Folhas de Relva**
    Walt Whitman
43. **Ben-Hur — Uma História
    dos Tempos de Cristo**
    Lew Wallace
44. **Os Maias**
    Eça de Queirós
45. **O Livro da Mitologia**
    Thomas Bulfinch
46. **Os Três Mosqueteiros**
    Alexandre Dumas
47. **Poesia de
    Álvaro de Campos**
    Fernando Pessoa
48. **Jesus Nazareno**
    Huberto Rohden
49. **Grandes Esperanças**
    Charles Dickens
50. **A Educação Sentimental**
    Gustave Flaubert
51. **O Conde de Monte Cristo
    (Volume I)**
    Alexandre Dumas
52. **O Conde de Monte Cristo
    (Volume II)**
    Alexandre Dumas
53. **Os Miseráveis (Volume I)**
    Victor Hugo
54. **Os Miseráveis (Volume II)**
    Victor Hugo
55. **Dom Quixote de
    La Mancha (Volume I)**
    Miguel de Cervantes
56. **Dom Quixote de
    La Mancha (Volume II)**
    Miguel de Cervantes
57. **As Confissões**
    Jean-Jacques Rousseau
58. **Contos Escolhidos**
    Artur Azevedo
59. **As Aventuras de Robin Hood**
    Howard Pyle
60. **Mansfield Park**
    Jane Austen